MEINE UNVERHOFFTEN GEFÄHRTEN

DAS INTERSTELLARE BRÄUTE-PROGRAMM :
BUCH 21

GRACE GOODWIN

WILLKOMMENSGESCHENK!

TRAGE DICH FÜR MEINEN NEWSLETTER EIN,
UM LESEPROBEN, VORSCHAUEN UND EIN
WILLKOMMENSGESCHENK ZU ERHALTEN!

http://kostenlosescifiromantik.com

1

ucy, Transportstation 345, Prillon Prime

„WAS AUF PRILLON PRIME PASSIERT…"
Das Knistern und die haarsträubenden Vibrationen des Transportvorgangs schnitten Rachel das Wort ab. Gerade waren wir noch auf der Kolonie gewesen und hatten von der erhöhten Plattform auf CJ und Rezzer hinuntergeblickt, die beide jeweils einen ihrer Zwillinge auf dem Arm trugen; im

nächsten Moment schon blickte ich auf ein paar gestandene prillonische Mannsbilder an den Steuerkonsolen auf Prillon Prime.

„...bleibt auch auf Prillon Prime", sprach Rachel zu Ende, als wären wir nicht gerade ebenso magisch wie die Leute in *Star Trek* oder die Zauberer in *Harry Potter* durchs Weltall gereist – mal abgesehen davon, dass wir uns keine Toilette runterspülen mussten.

„Gefährtin, was möchtest du damit andeuten?", sagte Maxim, nahm Rachel an der Hand und half ihr die Treppen hinunter. Sein Sekundär Ryston folgte dicht hinterher. Rachel hatte derweil ihren schläfrigen Sohn auf dem Arm. Er war zur Hälfte Prillone und ganz schön groß für sein Alter. Rachels Bizeps machte Überstunden, aber als Ryston die Hände nach dem Jungen ausstreckte, schüttelte sie den Kopf.

So niedlich.

Rachel lehnte sich um Ryston herum, um einen Blick auf mich zu erhaschen. Sie zwinkerte mir zu, passend zu ihrem Grinsen.

„Das habe ich gesehen", stellte Kjel nüchtern fest. Er stütze seine eigene Gefährtin mit einer kräftigen Hand an ihrem Rücken.

Lindsey blickte zu ihrem everianischen Prachtkerl hoch. „Was denn?"

„Was denn?", erwiderte er. „Wenn ihr euch alle zusammentut, bekommt man es eben mit der Angst zu tun."

Lindsey lachte. „Du, Angst?"

Ich biss mir in die Wange, denn die drei Riesen-Aliens starrten mich an. Ich war die Gefährtenlose der Gruppe, so ziemlich das fünfte – genauer gesagt sechste – Rad am Wagen des versammelten Reisetrupps.

Der everianische Jäger bückte sich und gab seiner Gefährtin einen Kuss aufs Haar.

Währenddessen drückte Rachel dem kleinen Max einen Kuss auf die Stirn. Der kleine Junge schlief tief und fest in den Armen seiner Mutter. Er war knapp zwei Jahre alt und somit noch zu klein, um wie der größere Junge, Lindsey und Kjels Sohn Wyatt, zurückzubleiben. Also war Max zusammen mit ein paar anderen Zwergen mit von der Partie. Das hatte sich ganz gut ergeben, da Wyatt sich mit Tanner und Emma gut angefreundet hatte, die lieber auf der Kolonie geblieben waren – bei ihren neuen Atlaner-Onkeln Bruan, Kai und den anderen, die sich allesamt in wandelnde Klettergerüste verwandelten, wann immer die Kleinen in der Nähe waren.

„Wyatt und du sind eben das Einzige, das mich vernichten könnte", raunte Kjel.

Lindseys Gesicht nahm einen verklärten, schmachtenden Ausdruck an.

„Ach Kjel", flüsterte sie, dann schniefte sie und streckte das Kinn hoch. „Es ist doch nur eine Überraschungs-Geburtstagsfeier, für die wir alle hier sind." Ihre Worte erinnerten uns alle an den Anlass für unsere Reise. „Was können wir da schon groß anstellen?"

Kjels Augen wurden ganz groß, und er schüttelte bedächtig den Kopf, als würden ihm endlose Möglichkeiten einfallen.

„Genau aus diesem Grund waren sich der Prime sowie sämtliche anwesenden männlichen Wesen völlig darüber einig, dass die Sache innerhalb der Palastmauern stattfinden muss."

„Palast", schnaubte Rachel. „Wohl eher eine Festung."

„Ja, eben", sagten die drei Männer einstimmig.

Das Surren der Transportplattform machte uns darauf aufmerksam, dass wir sie räumen sollten, um Platz für den zweiten Transport von der Kolonie zu schaffen.

„Das ist auch der Grund dafür, warum wir euch Damen nicht ohne uns transportieren ließen", sagte Maxim, während wir wartend in dem großen Raum standen.

Er war etwa doppelt so geräumig wie ein Transportraum auf der Kolonie, und

ich nahm an, dass hier wohl viel los war.
Ich war noch nie auf Prillon Prime gewesen. Verdammt, ich war noch nie zuvor
irgendwo im Weltall gewesen als dort,
wo Olivia und Wulf stationiert waren,
wo immer das auch war. Meine allerbeste Freundin und ihr muskelbepackter Atlaner-Gefährte waren der
Grund dafür, dass ich nicht auf der Erde
war – und nicht, weil ich jemandem zugeordnet worden war. Tatsächlich war
ich eine der wenigen Menschen im Koalitionsgebiet, die Single waren und
nicht gegen den Hive kämpften. Zumindest war mir das so gesagt worden. Genauer gesagt war ich die einzige
Singlefrau, wenn man die Soldatinnen
nicht zählte.

Und jetzt war ich unterwegs zum Palast des Prime, zu einer Überraschungsparty für seine Gefährtin Jessica, eine
weitere Menschenfrau. Das war eine
Riesensache.

Episch.

Noch viel epischer als ein Mädels-

Wochenende in Las Vegas. Wir waren hier auf Prillon Prime, Baby!

Ich war Prime Nial noch nie begegnet, und auch nicht dem Geburtstagskind. Aber ich hatte schon mit ihnen telefoniert und Jessicas zweiter Gefährte Ander war auch dabei gewesen. Oder vielmehr hatte ich einen Videoanruf gemacht. Telefone waren für diese Leute hier ungefähr so altmodisch wie für uns Pferdekutschen.

Ich würde mich an die Fachbegriffe im Weltraum schon noch gewöhnen. Ohne einen Gefährten, der mir dabei half, mich auf mein neues Leben einzustellen, hinkte ich ein wenig hinterher.

Nicht, dass ich auf der Kolonie keine Angebote bekommen hätte. Der atlanische Kampflord Bruan war ein absoluter Knuffelbär, ein riesiger, herzensguter Kerl... und ich wollte ihn nicht. Jedenfalls nicht *so*. Genau wie Captain Marz und seinen prillonischen Sekundär. Genau wie die anderen Atlanen. Die Viken-Krieger. Die große Auswahl an verfügbaren Gefährten auf der Kolonie überforderte mich ehrlich gesagt ein wenig.

Schlimmer noch: keiner von ihnen fühlte sich richtig an – als so, dass ich gewollt hätte, dass er *mir* gehört. Bruan war, wenn schon sonst nichts, dann zumindest ein guter Freund geworden. Ich vertraute ihm und ich hatte ihn gern. Aber ich hatte nicht das Bedürfnis, mich auszuziehen und meinen nackten Körper an ihm zu reiben.

Da sprühte kein einziger Funke. Und das war ein wenig traurig, denn er war rattenscharf. So richtig Sex am Stiel. Aber mein Desinteresse führte auch dazu, dass mein Familienoberhaupt, Kampflord Wulf, jedem Mann auf der Kolonie deutlich zu verstehen gab, die Finger von mir lassen.

Tatsache war nun mal, dass ich auf der Kolonie war, um bei Olivia, Tanner und Emma zu sein. Sie waren meine Familie. Wir waren nicht blutsverwandt, aber wir hatten uns einander ausgesucht. So oder so wollte ich keine andere. Noch nicht. Ich war noch nicht soweit. Und sollte ich mit einem der ehrenhaften Krieger auf der Kolonie ins Bett steigen, dann würde der wollen, dass das für immer war. Also, so richtig für immer, mit Besitznahme und Babys und allem Drum und Dran. Und das war mir doch noch etwas zu verbindlich. Viel zu ernst.

Die nächsten paar Tage lang wollte ich einfach nur Spaß haben. Vielleicht ein wenig heißen Sex mit ein oder zwei vor Manneskraft strotzenden Aliens haben, mich ein wenig abreagieren und dann zurück zu meinen De-Facto-Nichten und -Neffen und meiner besten Freundin. Dort war ich glücklich. Zumindest zum größten Teil. Mitunter ein wenig gelangweilt, aber ansonsten zufrieden. Ich wollte nicht, dass mir irgendetwas mein neues Leben ruinierte.

Auf der Erde hatte ich keines mehr gehabt. Keine Familie. Nur wenige Freunde. Einen schlecht bezahlten Job, in dem ich die meiste Zeit über unsichtbar war. Nur Olivia und ihre Kinder gaben meinem Leben Bedeutung. Ohne sie wäre ich alleine und, was schlimmer war, höllisch einsam. Für Tanner und Emma war ich *Tante Wucy*, und nichts auf der Welt war mir wichtiger, als dafür zu sorgen, dass diese beiden Zwerge gesund und glücklich waren.

Und ich war nicht egoistisch genug dafür, einen der Krieger auf der Kolonie nur für Sex zu benutzen. Die Jungs dort hatten so viel durchgemacht. Schlachten. Gefangenschaft. Folter. Integrationen. Die Ablehnung ihrer Heimatwelten. Ich würde nicht so mit ihnen spielen. Wenn ich ein wenig Spaß haben wollte, musste ich vom Planeten weg – wie etwa hierher auf Prillon Prime – und dabei ganz sichergehen, dass derjenige, mit dem ich den Spaß hatte, auch ganz genau wusste, dass es dabei bleiben würde. Ein wenig Spaß. Nichts Festes.

Zum Glück waren die Frauen der Kolonie alle super nett. Es war wunderbar, wie sie mich in ihren Kreis aufgenommen hatten. Ich hatte das Gefühl, dass Lindsey uns am liebsten T-Shirt mit dem Spruch *Earth Girls Unite* besorgt hätte. Immerhin war sie auf der Erde Pressesprecherin gewesen und machte das immer noch. Sie arbeitete hart daran, auf der Erde neue Freiwillige für das Bräute-Programm zu begeistern *und* hatte ganz nebenbei auch noch eine riesige Überraschungsparty für ihre beste Freundin auf die Beine gestellt—*die* Lady Jessica Deston, die *Königin* der gesamten Interstellaren Koalition der Planeten. Man konnte mit Sicherheit sagen, dass Lindsey wahrscheinlich ein wenig abgelenkt sein würde.

„Wir Mädels wären sehr wohl in der Lage gewesen, ganz alleine zu transportieren", sagte Rachel und tätschelte Maxims Arm. Dann lächelte sie. „Aber es gefällt mir, wenn du so beschützerisch und knurrig wirst."

Das löste bei ihm und Ryston ein unvermitteltes Knurren aus. Ich biss mir auf die Lippe und bemühte mich, nicht zu lachen. Jeder Mann, der mir im Weltall begegnet war, war besitzergreifender als der nächste. Beschützerisch. Dominant. Eine volle Portion Alphamännchen-Feuer. Wulf war bei Olivia und den Kindern ganz genauso, allerdings war er das auch mir gegenüber. Er war wie der große Bruder, den ich nie hatte. Soweit ein Mädel aus Ohio überhaupt eine zweieinhalb Meter große Atlaner-Bestie zum Bruder haben konnte. Einen überfürsorglichen, knurrigen, haut-jeden-zu-Brei-der-mir-an-die-Wäsche-will, großen Bruder.

„Auf gar keinen Fall werdet ihr ohne uns transportieren. Ihr würdet ja doch nur ins Trixon-Resort auf Viken abhauen", grummelte Maxim.

„Was ist das denn?", fragte ich.

„Ein Rückzugsort für frische Gefährten und Gefährtinnen, wo sie einander *kennenlernen* können." Rachel zeichnete mit den Fingern Anführungszeichen in die Luft. „Es ist hedonistisch.

Stell dir ein tropisches Fünf-Sterne-Ressort vor, das jegliche sexuellen Gelüste bedient."

Schon bei dem Gedanken wurde mir ganz heiß. Wer würde so etwas denn nicht wollen? „Also wie ein Thermenhotel, aber mit Sex?"

Maxim antwortete mit einem Nicken. „Ganz genau."

Rachel stellte sich auf die Zehenspitzen und gab ihm einen Kuss auf seinen kantigen Kiefer. „Ich habe mich schon mit Whitney darüber unterhalten, weißt du. Sie sagt, dass es dort nur Spaß macht, wenn deine Gefährten mit dabei sind. Wobei, ich habe ja auch ganz gern mal *solo* meinen Spaß, wie du weißt."

Maxims Körper erstarrte, als sein Blick auf den seiner Gefährtin traf.

„Spiel nicht so mit uns, Gefährtin", knurrte Ryston. „Wir haben im Moment nicht die Zeit dafür, dir *dabei* zuzusehen. Wir werden im Palast erwartet."

Rachels Wangen färbten sich so rot wie mein Haar und schließlich übergab sie ihren Sohn doch an Ryston, der den schläfrigen Kleinen eng an seine Brust schmiegte.

Zu süß, um wahr zu sein.

Ich konnte sehen, dass Rachel im gleichen Maß verlegen und erregt über die Zurechtweisung von Ryston war. Ich beneidete sie. Eine richtig volle Ladung Neid. Körper und Herz schmerzten vor Sehnen. Ich wollte auch einen Kerl oder zwei, denen der Gedanke gehörig einheizte, mir beim Spielen mit meiner Knospe zuzusehen. Verdammt, ich wünschte mir einen Kerl oder zwei, die mich einfach nur *ansehen* konnten, ohne dabei gleich zu schmachten, als könnte ich ihre ewige Seele retten und ihnen ein neues Leben verleihen. Ich wollte sexy Spaß—ohne dass Wulf jeden Mann in Reichweite anfunkelte, als würde er ihn zerstückeln, wenn er nur in meine Richtung schielte.

Ich wurde von der umwerfend schönen Königin von Viken aus meinen Gedanken gerissen, die in dem Moment an mir vorbeischritt. Ich konnte mir mein Starren nicht verkneifen. Oh ja, ich erkannte sie alleine an ihrem roten Haar und ihrem Kleid – ich war auf der Erde Stylistin gewesen und kannte mich mit Mode aus, selbst im Weltraum – und natürlich an der Tatsache, dass sie drei scharfe, beinahe identisch aussehende Kerle im Schlepptau hatte. Sie zog vorbei, von ihren scharfen Königen flankiert, die sie beschützten. Und jeder von ihnen hatte einen bedrohlichen und hitzigen Ausdruck im Gesicht, bei dem sich alles in mir zusammenzog. Ich fragte mich, ob die wohl schon einmal in diesem Sex-Paradies auf Viken gewesen waren. Das Trixon-Resort. Das musste ich mir für später merken.

Scheiße. Ich steckte in Schwierigkeiten hier. Die Art Schwierigkeiten, wo man rund um die Uhr nur noch Sex im Sinn hat.

Vierundzwanzig Stunden am Tag, oder waren es hier sechsundzwanzig, oder zweiundvierzig? Wie auch immer der Kalender auf diesem verrückten Planeten funktionierte. Ich hatte keine Ahnung. Ich wusste nur, dass ich schon viel zu lange keinen Mann mehr gehabt hatte und mein Körper sich nach ein wenig Zuwendung verzehrte, so wie die Gestaltwandler in meinen liebsten Liebesromanen. *Berührungshungrig* nannten sie das. Wenn Sehnen und Lust den Punkt erreichten, wo man nicht mehr klar denken konnte. Vielleicht hatte ich ja dieses atlanische Fieber.

Oh ja. Jetzt war es soweit, ich glaubte schon, ich hätte *atlanisches Fieber*. Guter Gott. Mit jeder Sekunde auf Prillon Prime wurde es schlimmer mit mir. Ich stand jetzt schon vor einem knackigen Buffet von scharfen Alpha-Männchen, und dabei hatte ich es noch nicht einmal aus dem Transportraum rausgeschafft. Der Gedanke, dass da draußen überall paarweise Prillonen-Krieger rumliefen? Heilige Scheiße, ja.

Zwei zum Mitnehmen, bitte.

Als Wulf erfahren hatte, dass ich

mich noch nicht fest binden wollte, hatte er meinen Wunsch ernstgenommen. Er hatte die Nachricht verbreitet, dass ich nicht zu haben war und die Rolle des großen Bruders ins Extreme geführt. Ich hätte genauso gut eine giftige Vagina oder so haben können.

Und aus diesem Grund hatten mir Rachel, Kristin, Lindsey, Olivia, Caroline und Mikki ans Herz gelegt, dass ich mir etwas Action gönnen sollte, während ich auf Prillon Prime war. Sie waren sich einig, dass die Kerle auf der Kolonie nicht in Frage kamen, aber das hier war ein anderer Planet. Ein Kurzbesuch. Ein Zwei-Tage-Abenteuer! Party Time!

Ich sah das ganz genauso und hatte die letzten Tage an der S-Gen-Maschine verbracht, um mir ein wenig superscharfe und sexy Reizwäsche machen zu lassen. Kein Mann, ob Alien oder Mensch, konnte Spitze widerstehen, oder Satin und nur knapp bedeckte Nippel und Pussy.

Und tja, hier war ich nun. Ein gefährtenloses, notgeiles Mädel auf Weltraum-Urlaub. Voller Hoffnung, mir auf Prillon Prime ein paar Orgasmen von Männerhand zu holen—ganz besonders, da Wulf nicht hier war, um dazwischenzufunken. Er steckte mit Olivia auf der Erde fest, wo sie PR-Interviews für die *Bachelor Bestie*-Show gaben. Während sie Lichtjahre entfernt durch die Talkshows tingelten, würde ich hier auf Prillon Prime ganz andere Runden drehen.

Zumindest war das der Plan. Erst aber musste ich einen würdigen Kandidaten finden und ihn dann davon überzeugen – oder sie beide – mich zu beglücken.

Bei all dem Testosteron – hatten Aliens überhaupt Testosteron? – das hier herumlief, sollte das nicht besonders schwer fallen. Ich war kein Supermodel, aber bemitleidenswert sah ich auch nicht gerade aus. Als Kind hatte mein Opa mich „mein kleiner irischer Kobold" genannt, dank meines feuerroten Schopfes und meiner strahlend grünen

Augen. Inzwischen hatte ich reichlich Sommersprossen und einen passenden Nasenring dazubekommen, also würde ich hoffentlich eher als Goldschatz am Ende des Regenbogens auffallen, und nicht als hässliches Entlein.

Aber ich hatte noch nie eine Prillonen-Frau – oder sonst ein weibliches Alien – gesehen. Ich hatte keine Ahnung, wie die Konkurrenz aussah. Soweit ich wusste, war ich die einzige Menschenfrau in der Gruppe, die nicht bereits einen Gefährten hatte. Also lief ich nicht Gefahr, mit meinen Freundinnen konkurrieren zu müssen, sondern nur mit den Einheimischen.

„Pass nur bitte gut auf, Lucy. Unser Geheimdienst vermutet, dass Cerberus nach wie vor auf der Suche nach einer Menschenfrau ist, die er ganz für sich haben kann", sagte Maxim und wieder waren aller Augen auf mich gerichtet.

Diese Worte waren wie eine eiskalte Dusche. Cerberus war nicht so bescheuert, sich an eine bereits in Besitz genommene Frau heranzumachen. Er war vielleicht die große böse Hexe des Weltalls, aber er war nicht dumm. Er wollte eine gefährtenlose Menschenfrau. Eine, der keiner hinterherheulen würde.

Und das wäre dann wohl... ich.

Ich hob die Hand, um Maxim davon abzuhalten, das Thema weiter breitzutreten, da es eine absolute Spaßbremse war. „Ich habe nicht die Absicht, irgendetwas Verrücktes anzustellen. Ich verspreche, dass ich mich ausschließlich im Palast aufhalten werde."

Maxim, Ryston und Kjel starrten mich skeptisch an, während die Damen grinsten. Aber ich sagte die Wahrheit. Ich hatte kein Interesse daran, ein Spielball von Cerberus zu werden. Bei der Vorstellung wurde mir schlecht. Ich würde akzeptieren, dass Maxim oder sonst einer der Männer mir Wächter zuwies. Gegen Vorsichtsmaßnahmen hatte ich nichts. Wenn die Wächter noch dazu attraktiv waren und mich gegen die Wand gedrückt ficken wollten, oder auf sonst einer horizontalen Fläche im Palast, während sie auf mich aufpassten, dann wäre ich damit sogar rundum zufrieden.

Oh ja, das wäre ich und zwar bestimmt mehr als nur einmal.

Caroline, Rezzer und die Kleinen, CJ und RJ, erschienen auf der Transportplattform, die wir gerade geräumt hatten und ich winkte den Zwillingen entgegen. Es war immer noch seltsam, wie sie von einem Augenblick auf den nächsten einfach erschienen. Sie stiegen von der Plattform, und die Zwillinge klatschten vor Aufregung in die Hände und zappelten dann danach, um auf dem Boden abgesetzt zu werden. Sie waren noch nicht ganz zwei Jahre alt und wollten gleich auf Erkundungstour gehen. Sie waren jünger als Tanner und Emma und noch nicht ganz dazu bereit, von ihren Eltern getrennt zu sein. Oder ihre Eltern waren noch nicht ganz bereit, von ihnen getrennt zu sein. Sie hatten schon viele Stunden gemeinsam in der Gruppe mit

Tanner und Emma gespielt, so wie alle Kinder. Auch sie nannten mich Tante Wucy. Es war einfach viel zu niedlich. Sie hatten mich lieb und ich sie ebenso.

Das sollte doch reichen. Also warum fühlte ich mich so leer?

„Warum starren alle auf Lucy?", fragte Rezzer, während er CJ absetzte. Sie schoss davon wie ein Blitz, direkt auf die Steuerkonsole zu. Rezzer lief hinterher und fegte sie gleich wieder in seine Arme. Sie zappelte, aber er blubberte ihr auf den Bauch und sie kicherte. „Können wir bitte zum Palast, bevor die Kleine hier an die Steuerkonsole gelangt und uns alle noch in den Sektor Null schickt?"

Mit Maxim an der Spitze verließen wir den Transportraum. Die Damen blieben mit mir ein paar Schritte zurück, aber die Männer blickten über ihre Schultern, um sich zu versichern, dass wir ihnen auch wirklich folgten.

„Das wird bestimmt eine ganz wunderbare Zeit", sagte Lindsey. „Aber wir müssen uns beeilen. Die Überraschungsparty soll schon in drei Stunden losgehen. Das gibt uns nicht viel Zeit zum Vorbereiten."

Caroline nickte und ich sah, wie dem kleinen RJ die Augen zufielen und sein Kopf an ihre Schulter gelehnt war. Transportieren war anstrengend und sein kleiner Körper war wohl bereit für ein Nickerchen. Seine Schwester – sie war unermüdlich und würde wahrscheinlich auf Hochtouren laufen, bis sie umkippte – kletterte auf Rezzers Schultern hoch, damit sie besser sehen konnte. „Ich bin so froh, dass ihr Babysitter vor Ort organisiert habt. Eine Party mit schönen Kleidern und Lucys wunderbaren Schminkkünsten..."

„Oh ja, ich werde mich wie eine Prinzessin fühlen", setzte Rachel hinzu. „Du solltest wirklich einen Schönheitssalon aufmachen, Lucy."

Ich lachte. „Auf der Kolonie? Die Männer dort sind alles Brummbären und es gibt nicht genug Frauen."

„Vielleicht eine Wohlfühl-Oase ähnlich dem Trixon-Resort", entgegnete Rachel und wackelte mit den Augenbrauen. „Whitney hat mir erzählt, dass sie dort sogar Sex-Trainer haben, falls du etwas Neues ausprobieren möchtest und dir nicht ganz sicher bist, wie du – du weißt schon – es angehen sollst." Ihr schuldbewusstes Kichern war ansteckend und schon bald grinsten wir Frauen alle breit.

„Du bist ja wie besessen, Gefährtin", antwortete Maxim. „Wir haben dich heute Morgen nicht ausreichend befriedigt?"

Rachel wurde knallrot. „Ich denke ja nur an eine Geschäftsidee für Lucy", entgegnete sie. „Es wäre ein Hit."

„Lucy hat recht. Nicht auf der Kolonie. Vielleicht auf Prillon Prime", sagte Maxim und ich fragte mich, wie der Planet wohl so war. „Die Frauen hier werden gerne verwöhnt."

„Ich glaube, du wärst überrascht, was eine nette Massage einem grummeligen

Krieger alles Gutes tun könnte", beteuerte Rachel.

„Wir sind gerne bereit, uns das von dir zeigen zu lassen, Gefährtin." Rystons Vorschlag kam mit Feuer in seiner Stimme. Sie lachte. „Wir würden niemals so weit kommen."

Maxim bückte sich und hob Rachels Gesicht seinem entgegen, um sie zu küssen. „Wenn es darum geht, dich wie eine Prinzessin zu fühlen, Gefährtin: Jessica gehört der tatsächlichen Königsfamilie an und du bist die wunderbare Lady Rone der Kolonie." Auch Maxim schenkte ihr einen hitzigen Blick, und ich fragte mich, wer da wohl heute Morgen nicht genug bekommen hatte.

Ich war bloß Lucy Vandermark. Ohne Gefährten, aber mit sexy Unterwäsche.

Lindsey lächelte. „Ich jedenfalls freue mich schon darauf, mich hübsch anzuziehen und unter Erwachsenen zu sein. Heute Abend haben wir die große

Überraschungsparty, Brunch mit den Damen morgen, dann einen ganzen Tag zum Faulenzen und Entspannen und dann, am dritten Tag, einen ausgewachsenen *königlichen Ball.* Aufwändige Roben. Musik aus der Heimat. Tanz. Tagelang nur Essen von der Erde. Mädels, mit denen man plaudern kann. Wer weiß, ob wir überhaupt wieder weg wollen."

Kjel verzog das Gesicht und Maxim knurrte. „Du wirst mit uns auf die Kolonie zurückkehren", befahl Maxim Rachel.

„Sie neckt euch Jungs doch nur." Nachdem Rachel Maxim einen Kuss durch die Luft geschickt hatte, legte sie mir einen Arm um die Schulter. „Lassen wir die Party steigen. Denn... was auf Prillon Prime passiert..."

„Das bleibt auch auf Prillon Prime!", sprachen wir den Satz alle gleichzeitig zu Ende, und mir blieb die Hoffnung, dass ich einen heißen Kerl finden würde, der gewillt war, dieses Wochenende damit zu verbringen, mir das Höschen mit den Zähnen auszuziehen.

Unser gesammelter Jubelruf handelte uns einen seltsamen Blick von den Männern ein.

Oh ja, wir würden Spaß haben.

2

*B*otschafter Lord Niklas Lorvar,
Prillon Prime, im Palast

„ÜBER-
RASCHUNG!"

Königin Jessica, mit ihren Gefährten
– Prime Nial und Lord Ander – dicht
hinter ihr, blieb wie angewurzelt stehen,
nachdem sie den Ballsaal betreten hatte.
Ihre Augen wurden rund wie Teller und
ihr Mund stand weit offen. Nachdem sie
den ersten Schock überwunden hatte,
schlug sie sich die Hände vors Gesicht

und lachte. Die Männer klatschten, während dem versammelten Grüppchen von Menschenfrauen vergnügtes Quietschen und feminines Lachen und Jubeln entstieg und sie sich um sie scharten wie Hive um einen gestrandeten Kampf-Flieger.

„Zieh doch nicht so ein Gesicht, Niklas", rügte Sambor, während auch er gemächlich klatschte, seine groben Hände aufeinander krachen ließ wie fauler Donner.

Ich beobachtete die verblüffte Freude auf dem Gesicht der Königin, als ihr langsam klar wurde, dass eine Reihe von Erdenfrauen, die ebenso wie sie Bräute geworden waren, von ihren Heimatplaneten angereist waren, um auf Prillon Prime ihren Geburtstag zu feiern. Ich hatte gehört, dass eine der Frauen das gemeinsam mit den Gefährten der Königin organisiert hatte, und offensichtlich war alles geheim gehalten worden. Auch wir hatten eine Einladung erhalten und als Botschafter wusste ich, dass ich das nicht ablehnen konnte.

Meine Verpflichtungen auf Prillon Prime waren für die gesamte Koalitionsflotte von höchster Bedeutung. Und Teil meines Jobs war es, ein ausgezeichnetes Arbeitsverhältnis mit sowohl Prime Nial als auch seinem Sekundär, Lord Ander, aufrechtzuerhalten.

Eine Einladung zur privaten Feier ihrer Gefährtin abzulehnen, kam nicht in Frage – egal, welche dringlichen Angelegenheiten sonst noch auf mir und Sambor lasteten. Kriminelle Aktivitäten auf Rogue 5. Das frisch entflammte Interesse der Legion Cerberus an Menschenfrauen. Die Bemühungen von Doktor Helion und dem Geheimdienst IC, einer Nexus-Einheit in unserer Gefangenschaft Informationen zu entlocken. Dinge, die für die Sicherheit und den Schutz aller Anwesenden ausschlaggebend waren, sowie auch für alle anderen in der Interstellaren Koalition der Planeten. Anstatt mich um diese Angelegenheiten zu kümmern, sollte ich mich also gleich mehrere Tage lang hier aufhalten, mich heimlich zu Besprechungen davonschleichen und danach gleich für weitere Feierlichkeiten zurückkehren, zu denen, wie ich informiert worden war, auch eine gebackene Süßspeise von der Erde namens *Torte* gehörte, sowie auch das stundenlange Anhören der seltsamen Erdenmusik. Ich hatte die Musik der Menschen noch nie gehört, aber alleine mein Wissen darüber, wie chaotisch und unberechenbar die Menschen generell waren, ließ mir keine großen Hoffnungen darauf, dass ihre Musik für prillonische Ohren erträglich sein würde.

„Wir sollten gar nicht hier sein, Sambor. Es gibt viel zu viel zu tun."

„Wir müssen ja ohnehin schon zwei Mal während der Festtage für Besprechungen vom Planeten transportieren."
Sambor klatschte weiter in seine großen Hände und er hatte ein Lächeln auf dem Gesicht. „Das ist mehr als genug. Wozu

nützt sonst das ganze Kämpfen, wenn wir es uns nicht ab und zu mal auch gut gehen lassen können?"

„Der Brauch, jemanden am Tag seiner Geburt zu erschrecken, zählt nicht als würdiger Nutzen unserer Zeit. Wir sollten aktiv da draußen sein und die Königin beschützen, nicht hier rumstehen und ihr beim Heulen zusehen." Denn die Menschenfrau weinte ausgiebig und mit jeder weiteren Menschenfrau, die auf sie zukam und sie umarmte, schien das Weinen schlimmer zu werden. „Vielleicht sind die Frauen von der Erde nicht so intelligent, wie ich angenommen hatte. Warum hören sie nicht auf damit?" Ich konnte es nicht ertragen, eine Frau leiden zu sehen und den meisten Männern im Raum ging es ebenso. Ich hätte angenommen, dass Ander und Nial stark davon mitgenommen sein würden, da sie immerhin emotional über ihre dunkelroten Gefährtenhalsbänder mit der Königin verbunden waren. Stattdessen strahlten sie, als hätten sie gerade eine tosende Schlacht gewonnen. „Ich verstehe weibliche Wesen nicht."

Sambor musste laut lachen. „Ein wahrerer Satz ist dir noch nicht über die Lippen getreten, mein Freund."

Ich war kein Freund von Überraschungen und es war für Prillonen nicht Tradition, aus einer Feier ein Geheimnis zu machen. Aber es schien normal zu sein für den primitiven Planeten, von dem all diese kreischenden Frauenwesen stammten. Und es war auch etwas, das sie sichtlich genossen.

„Niklas, ohne Scherz. Zieh nicht so ein Gesicht. Du wirst Prime Nial noch den Eindruck vermitteln, dass du nicht hier sein willst", fuhr Sambor fort, auch wenn der Prime viel zu sehr damit beschäftigt war, das freudige Gesicht seiner Gefährtin zu genießen, als dass ihm meine grimmige Miene aufgefallen wäre.

„Ich habe zu viel zu tun." Genau in diesem Moment ertönte Musik aus verborgenen Lautsprechern und ich zuckte zusammen. Ich hatte noch nie eine solche Melodie gehört, aber alle Frauen quietschten erneut und lachten. Sie packten einander an den Händen und zerrten einander auf eine offene Fläche zu, von der ich annahm, dass sie zum Tanzen bestimmt war.

Doch die seltsam hohe Männerstimme, die aus den Lautsprechern kam, bewegte die Damen zu Drehungen, Hüftkreisen, Stampfen und Armwedeln in alle Richtungen – die seltsamste Art zeremonieller Darbietung, die ich je gesehen hatte.

Ach, Erdenmusik. Laut, seltsam und mit eigenartigem Rhythmus. Ganz, wie ich es befürchtet hatte.

Ich lauschte auf die Worte. „Warum wollen die ein Baby im Kreis rumwirbeln? Und was ist eine Schallplatte? Ist das etwa das Problem mit Menschen, dass man sie als Kleinkinder zu heftig im Kreis herumgewirbelt hat?“

Sambor guckte neben mir eben so

konfus drein, wie ich mich fühlte und zuckte die Schultern. „Warum sind ihre Bewegungen nicht aufeinander abgestimmt?"

Das hatte ich mich auch schon gefragt. „Vielleicht haben sie die Schritte nie richtig gelernt." Jede der Frauen – jede auf ihre Art schön, manche mit prillonischem Gefährtenkragen, andere mit Schmuck von Trion, wieder andere mit atlanischen Paarungsschellen um die Handgelenke – bewegte sich völlig unabhängig von den anderen.

„Sie sehen aus wie flatternde Vögel, die von einer Schlange aufgescheucht wurden." Sambors trockener Humor war einer der Gründe, warum ich ihn all die Jahre an meiner Seite behalten hatte. Das Lächeln, das sich nun über mein Gesicht zog, war aufrichtig.

„Da ist was dran. Aber hübsche Vögel." Ich erlaubte es meinem Blick nicht, allzu lange auf einer der Frauen zu verweilen, trotz der Schönheit, die sich vor uns bot. Immerhin standen in alle Ecken des Raumes verteilt ihre ausgesprochen besitzergreifenden Gefährten. Sambor und ich gehörten zu den weniger als einem Dutzend Männern ohne Gefährtinnen, die als vertrauenswürdig genug gegolten hatten, der Feier beizuwohnen. Ich würde unseren Prime nicht dadurch beleidigen, mit einer der Gefährtinnen Probleme zu verursachen.

Noch wünschte ich, gegen eine rasende Atlanen-Bestie zu kämpfen, oder ein Duo prillonischer Gefährten, die sich an meinem Interesse an ihrer Gefährtin stoßen mochten.

„Warum drohen sie mit dem endlosen Herumwirbeln ihrer Kleinkinder?", fragte er mit zusammengebissenen Zähnen. „Baby ist doch deren Wort für Kleinkind, richtig? Meine NPU setzt nicht gerade aus?"

„Wenn sie das tut, dann meine ebenso." Ich bemerkte Gesichtausdrücke, die denen von Sambor sehr ähnelten, auch bei den anderen Männern im Raum. Das brachte meine Mundwinkel wieder ein

Stück weit nach oben. Ich war nicht der einzige, der leiden musste. Die Damen klatschten mit offenkundigem Entzücken im Takt zum hämmernden Rhythmus der Musik.

Eine wunderschöne junge Frau trat im Raum nach vorne und nahm dem Techniker, der die fremdartige menschliche Musikanlage betreute, ein Kommunikationsgerät aus der Hand. Sie hob die Einheit an ihren Mund, während die Musik verstummte. Den Göttern sei Dank.

„Hallo, alle zusammen. Ich bin Lindsey von der Kolonie. Der sexy Jäger da drüben, Kjel, ist mein Gefährte." Sie winkte, und ihr Blick flackerte schelmisch auf. „Hallo, mein scharfer Kerl!"

Sambor und ich drehten den Kopf herum und sahen einen großen, ausgesprochen einschüchternden Mann mit verschränkten Armen und amüsierter Miene, der seine Finger anhob, um mit der kleinstmöglichen Geste zurückzuwinken. Es reichte aus. Lindsey blies ihm

einen Kuss zu, und Sambor lachte
leise auf.

„Glücklicher Scheißer."

„In der Tat." Der Jäger wäre furchterregend gewesen, wenn wir nicht auf
dieser seltsamen feierlichen Veranstaltung gewesen wären. Wir hatten schon
viele Male mit Elitejäger-Trupps zusam-
mengearbeitet. Nirgendwo sonst hatten
sie so... harmlos ausgesehen.

Lindsey sprach weiter und bewegte
ihre Finger auf eine Art, die Königin
Jessica andeutete, nach vorne zu kommen. Ich richtete meine Aufmerksamkeit wieder auf die versammelten
anderen Frauen, die aufgeregt tuschel-
ten, während die Königin an Lindseys
Seite trat.

„Alles Gute zum Geburtstag, Jessica!"
Lindsey schlang einen Arm um die Kö-
nigin und gab ihr eine seltsame seitliche
Umarmung.

Die Damen schrien die Worte gemeinsam nach, während wir Männer
schockiert zusahen. Wir würden es nie-

mals wagen, sie so unförmlich anzusprechen.

Die Königin strahlte. „Ich danke euch allen so sehr für diese umwerfende Überraschung. Danke, Lindsey. Ich weiß, dass du Nial und Ander dabei geholfen hast, das für mich zu organisieren. Ich liebe euch so sehr.“ Sie blickte hoch, und Tränen schimmerten in ihren Augen, während sie ihre Gefährten mit ihrem Blick anhimmelte. Sie hatte noch nie Hemmungen gehabt, ihre Männer öffentlich für sich zu proklamieren – angefangen beim allerersten Mal in der Kampfarena, wo Nial und Ander sie vor versammelter Menge in Besitz genommen hatten – und das war einer der Gründe dafür, dass sie bei allen Prillonen so beliebt war.

Nein, verdammt. Bei der gesamten Koalitionsflotte.

Die Königin und Lindsey tauschten einen Blick aus und Sambor lachte leise. „Ich kenne Frauen, Niklas. Die hecken was aus.“

Ich musste zustimmen, aber schwieg, während die Königin fortfuhr.

„Wisst ihr, was ich mir zum Geburtstag wünsche, Ladys?"

„Was?", rief der Haufen.

„Einen Country Line Dance!"

Die Frauen streckten die Hände in die Luft und ihre Schreie waren geradezu ohrenbetäubend für jeden der armen leidenden Männer im Raum.

„Was zum Henker ist ein Country Line Dance?", fragte Sambor.

„Ich habe keine Ahnung, aber ich hoffe, dass in diesem keine Kinder verletzt werden."

Lindsey nahm das Kommunikationsgerät wieder entgegen, während die Königin davonlief und wieder im Knäuel aufgeregter Frauen verschwand.

„Muss wohl ein überaus formeller Erdenbrauch sein, wenn die Königin ihn sich als Geschenk zum Tag ihrer Geburt auswählt."

Lindsey holte tief Luft und suchte die Ränder des Raums ab, wo dutzende

Männergestalten grimmig dreinblickten, einschüchternd, tödlich... und maßlos verwirrt. „Ihr habt die Königin gehört, meine Herren. Bitte aufstellen. Gerade Reihen. Nutzt die gesamte Tanzfläche. Als Geschenk für die Königin zu ihrem Geburtstag."

Während die Männer grummelten und sich nicht schnell genug in Bewegung setzten, stellte sich Prime Nial vorne im Raum hin, Ander neben ihm. Das grimmige Gesicht von Ander reichte aus, um jeden anderen schleunigst in Bewegung zu versetzen.

„Scheiße."

„Na dann los, mein Lord. Wie es aussieht, entkommst selbst du der Sache nicht." Sambor klatschte mir kräftig auf den Rücken und trat vor, um seinen Platz in einer der Reihen einzunehmen. In voller Rüstung. Voll bewaffnet. Mit allem Drum und Dran, denn immerhin war er als mein Leibwächter hier und wir kamen beide direkt von einem Tag voller Besprechungen in der IC-Kommandozentrale. Neben ihm wirbelte eine zierliche Dame in glitzerndem Kleid und atlanischen Paarungsschellen im Kreis herum und kicherte voller Vorfreude. Auf ihrer anderen Seite stand ein monströs großer Cyborg mit passenden Schellen und gab sich beschützerisch, aber eindeutig ebenso verwirrt wie Sambor und ich über das bevorstehende Ritual.

Bei den Göttern, ich hoffte, dass diese Line Dance-Zeremonie nicht zu lange dauerte. Auf mich wartete ein warmes Bett, denn morgen stand wieder ein langer Tag in der IC-Zentrale bevor. Als Botschafter kam die Pflicht an erster Stelle, sowohl bei der Arbeit als auch bei Veranstaltungen wie dieser, die eigentlich zum Vergnügen gedacht waren. Es fiel schwer, sich zu entspannen, wenn man einen ganzen Tag mit Helion, dem Leiter des IC, verbracht hatte und wusste, dass schon am nächsten Morgen ein ebenso stressiger Tag bevorstand. Bestimmt würde Sambor – und auch Lord

Ander, der zu den Abgesandten von Prillon Prime gehörte – mir da zustimmen. Aber als sekundärer Gefährte des Ehrengastes hatte Ander wohl mehr von der ganzen Sache, demnach auch mehr Enttäuschung im Morgengrauen, wenn er das Bett seiner Gefährtin verlassen musste.

Ich stand neben Sambor und ignorierte die Gestalten, die sich neben und hinter uns aufreihten. Die Königin und ihre beiden Gefährten standen in der vordersten Reihe. Wenn Prime Nial und Lord Ander an diesem Menschenritual teilnahmen, dann gab es keine Ausflüchte.

Lindsey zeigte auf unterschiedliche Frauen und Krieger im Raum und gab Anweisungen. *Dorthin gehen. Hier stehen. Ihr beiden, eine Reihe zurück.* So ging es etwa eine Minute lang, bis sie mit der Aufstellung aller Teilnehmenden am Tanz zufrieden war.

„Gut so." Sie warf dem Kommunikations-Techniker einen Blick zu. „Sobald

ich in der Reihe bin, fangen wir an. In
Ordnung?"

Er nickte so gewissenhaft, als hätte
sie ihm einen Befehl über Leben und
Tod gegeben. Dann achtete er auf sie,
während sie sich beeilte, sich neben den
Elitejäger zu stellen, den sie vor wenigen
Augenblicken als den Ihren identifiziert
hatte.

Als würdiger Gefährte küsste er sie,
bis sie atemlos war, bevor die Musik
einsetzte.

Das fand ich gut. Wenn ein Mann
eine Frau schon für sich beanspruchte,
dann sollte er auch herausragend gut für
sie sorgen. Und dazu gehörte es, sie bis
an den Rand der Besinnung zu küssen,
so oft er konnte.

Der   Kommunikations-Techniker
blickte zu Lindsey und sie nickte. Dann
zur Königin, die ebenfalls nickte. Mein
gesamtes Wesen spannte sich voll
Bangen an, als er die Hand ausstreckte
und die seltsame Menschenmusik erneut aktivierte. Diesmal war es ein ganz

anderes Musikstück. Ein Saiteninstrument erfüllte die Luft, von einem dröhnenden Rhythmus untermalt und die Frauen fingen im Takt zu klatschen an.

„Vielleicht hat diese Version keinen Gesang", überlegte Sambor.

So viel Glück sollten wir aber anscheinend nicht haben.

„Alle mir nach. Und eins-zwei-drei-vier!", rief Lindsey.

Beim nächsten Takt machten die Damen einen Schritt nach vorne. Dann rückwärts. Die Männer beeilten sich, die Bewegungen nachzuahmen, aber keiner von uns hatte einen Schimmer, was als nächstes kam.

„Das ist doch alles sehr befremdlich, Niklas. Aber immerhin bewegen sie sich diesmal miteinander."

Sambor hatte recht. Die Damen bewegten sich im Einklang, stapften, klatschten. Krachten in die Männer.

Lachten.

Die Menschenstimme sprach Worte, die keinen Sinn ergaben.

„...tell my lips, to tell my fingertips..."

Die klagende Männerstimme schien sich wieder und wieder zu wiederholen, mit einer eigenartigen Sprachmelodie, die herausragend nervtötend war. „Warum würde ein Mann mit seinen eigenen Fingerspitzen reden?", fragte ich. „Menschenmänner ergeben keinen Sinn."

Sambor, der die Schritte scheinbar mit einer Leichtigkeit erlernte, für die ich ihm am liebsten ein Bein gestellt hätte, grinste, während er eine perfekte Drehung auf seinem Absatz vollzog. „Das Herz dieses Mannes schmerzt und bricht. Aber diesen Damen scheint die Vorstellung eines leidenden Mannes gut zu gefallen."

Als das Musikstück eine Textzeile darüber wiederholte, dass das Herz des Mannes in seinem Körper explodierte und ihn tötete, stapften die Damen alle zugleich auf, johlten aufgeregt und klatschten in die Hände, bevor sie die gesamte Sequenz von vorne begannen.

„Diese Menschenfrauen sind anscheinend eine blutrünstige und gnadenlose Spezies, wenn es um Paarung geht", raunte ich.

Sambor nickte zustimmend. „Und ich dachte, Prillonen-Frauen wären knallhart."

Zwei atlanische Kampflords krachten ineinander und einer von ihnen stieß ein verärgertes Brüllen aus, bevor seine Gefährtin sekundenschnell in seine Arme wirbelte und ihn davonzerrte. Außerdem sah ich noch Commander und Lady Karter. Sie beherrschte die Schritte und neben ihr hatte auch Karter sie schnell erlernt. Er bewegte sich zur Musik und... verdammte Scheiße, der Kerl hatte sogar Spaß. Als er sich im Kreis herumdrehte, sah ich die Freude, die sein Gesicht erhellte.

Wer hätte geahnt, dass Commander Karter tanzen kann?

„Rechts herum!", rief Lindsey.

Alle zugleich drehten sich die Damen so, dass sie nach rechts blickten und Sambor und ich ahmten es hastig nach. Ich würde mich nicht dadurch zum Gespött machen, dass ich gegen jemanden...

„Oh!"

Etwas Weiches. Ein Aufschrei. Eine kleine Menschenfrau fiel mir entgegen, nachdem ich wie ein atlanischer Riesen-Tölpel gegen sie gestoßen war.

„Meine Dame! Ich bitte vielmals um Verzeihung." Ich fing sie in meinen Armen auf und sie wurde an meine Brust gedrückt. Das dunkelgrüne und goldene Kleid, das sie trug, flatterte mir um die Beine, während durch den Schwung ihres Falles ihre Weichheit und ihr femininer Duft meine Sinne völlig vereinnahmte.

Ich vergaß, mich gemeinsam mit der Gruppe weiter zu bewegen, starrte nur noch hinunter in ein Paar strahlend grüner Augen. Ihr Haar war ein Kranz aus rotbraunem Feuer und ein kleiner Goldring blitzte mir von der zarten Haut ihrer niedlichen kleinen Nase aus entgegen. Ich blinzelte, erstarrt, als hätte mich eine Ionenpistole betäubt.

Stammte sie von Trion? Die Frage stellte sich mir aufgrund ihres Piercings, aber ihr Kleid war nicht typisch für die Frauen des Planeten. Ich konnte auch keine Piercings oder Kettchen spüren, wo die harten Knospen ihrer Nippel sich an meine Brust drückten. Die Götter mögen mir helfen, sie war umwerfend schön und mein Körper reagierte sofort mit Forderungen. Mein Schwanz wurde hart, und mein Puls pochte, während ich um meine Selbstbeherrschung kämpfte. Wo war ihr Gefährte? Ihr Beschützer? Ich wusste, dass ich mich nach einem Mann umsehen sollte, der nur zu erpicht darauf sein würde, sie mir wegzunehmen. Aber ich konnte mich nicht rühren.

Sie lächelte zu mir hoch und ihre blassen Wangen färbten sich unter meinem Blick zu einem perfekten rosigen Ton, der zu ihren Lippen passte. Ihren vollen, leicht geöffneten Lippen.

Ich stand wie angewurzelt da und konnte meinen Blick nicht abwenden.

„'Tschuldigung." Ihre atemlose Entschuldigung ließ meinen Schwanz zucken, denn das Zittern in ihrer Stimme reichte aus, um mir vorzustellen, wie sie unter völlig anderen Umständen um Atem ringen würde... wie etwa, wenn ich sie mit meinem Schwanz füllte, während Sambor sie für meine Besitznahme festhielt. Und wenn sie dann ausgiebig befriedigt war, besinnungslos vor Begierde, dann würde er sie von hinten nehmen, während ich ihren Körper an meinen gepresst hielt und wir sie zu unserem Eigentum machten.

Verdammte Scheiße. Ich war wohl verrückt geworden. Schon in diesem Augenblick war bestimmt bereits ein Paar von Prillon-Kriegern oder ein atlanischer Kampflord auf dem Weg zu uns, um mir dafür, wie ich sie gerade festhielt, den Kopf von meinem Körper zu reißen.

So nahe. Die Füße ein paar Zentimeter über dem Tanzboden. In meinen Armen und unter meinem Schutz, als würde sie mir gehören.

Sambor krachte seitlich gegen uns hinein.

Ich riss einen Ellbogen hoch, um die kleine Frauengestalt vor dem gepanzerten Riesen zu beschützen und er flog rückwärts und landete krachend bei einem Atlanen, der wiederum *seine* Gefährtin mit einer Geschwindigkeit außer Gefahr schob, die ich auf dem Schlachtfeld schon sehr zu schätzen gelernt hatte.

Der Atlane brüllte warnend. Sambor landete in gehockter Position und fauchte zurück.

„Rezzer, es geht mir gut." Die Frau hob eine Hand und legte sie dem Kampflord auf die Wange. Sofort wurde er ruhiger. Sie richtete ihren Blick auf mich und dann auf die Frau, die ich festhielt. Ihre Augen wurden groß; dann grinste sie, und eine unverfrorene Art stiller Kommunikation fand zwischen den beiden Menschenfrauen statt. „Vegas?"

Die Frau in meinen Armen warf mir einen Blick zu, dann blickte sie wieder zu der anderen Frau. „Gut möglich!"

Ich hatte keine Ahnung, was das bedeuten sollte. „Mein Name ist nicht Vegas, werte Dame", erklärte ich ihr.

Rezzer blickte auf mich, dann auf meine Arme, die weiterhin um die Frau geschlungen waren. „Lucy, hat dir dieser Mann etwas getan?"

„Natürlich nicht", antwortete sie, ihre Stimme melodisch und vergnügt. Ihr Name war *Lucy.*

Der riesenhafte Atlane verschränkte die Arme und starrte auf mich hinunter. Dieses Imponier-Gehabe bewegte wiederum Sambor dazu, sich rasch aufzurichten und nah an meine Seite zu treten – nur für den Fall, dass die Bestie zu dem Schluss kam, wir hätten seiner Gefährtin etwas getan oder ihn herausgefordert.

„Ehrlich, Rezz, es geht mir gut. Versprochen", fügte Lucy hinzu. „Ich bin gestolpert und er hat mich aufgefangen. Das ist alles."

Der Atlane legte den Kopf schief, als würde er entscheiden müssen, ob er der Frau glauben wollte. Er kniff die Augen zusammen. „Warum sind dann seine Arme immer noch um dich geschlungen?"

Ein Jäger rempelte dem Atlanen in den Rücken, was ihm nicht mehr als ein Stirnrunzeln abrang. So ein Riesenkerl. Und mit den Hive-Implantaten, die mir aufgefallen waren, war er wohl sogar noch gefährlicher als der Durchschnitts-Atlane, also geradezu bestialisch.

„Weil ihr Aliens ums Verrecken nicht tanzen könnt. Der da war gestolpert und hätte mich fast überrannt", entgegnete Lucy mit einem Wink in Richtung Sambor, dessen sonst goldene Haut doch tatsächlich dunkelbraun anlief—meinem Hautton ähnlicher, als ich ihn je gesehen hatte, selbst in der Hitze einer Schlacht.

Meinem Sekundär war etwas *peinlich*.

Ich war mir nicht sicher, ob ich sie vor dem *Verrecken* bewahrt hatte, aber ich würde das mit Freude behaupten, wenn es bedeutete, dass ich sie weiter in meinen Armen halten konnte. „Ich würde einer Frau niemals etwas antun."

Der Kampflord schnaubte zustimmend und seine Haltung entspannte sich. „Ich habe Kampflord Wulf mein Wort gegeben, sie zu beschützen, während er sich mit seiner Gefährtin auf der Erde aufhält." Sein neutraler Gesichtsausdruck wich einem Stirnrunzeln. „Ich wusste, dass es ein Fehler sein würde, eine gefährtenlose Frau auf diesen Planeten mitzubringen."

Ich hörte nur ein Wort... *gefährtenlos.* Ich setzte die Frau sanft auf ihre Füße, ließ aber einen Arm um sie gelegt, während ich mich vor dem Kampflord verneigte, dessen nächste Worte gut und gerne mein Schicksal besiegeln könnten. „Ich bin Lord Niklas Lorvar von Prillon Prime. Cousin des Kampfgruppen-Kommandanten Lorvar. Botschafter, Ratgeber und enger Vertrauter von Prime Nial." Kampflord Wulf fungierte als Beschützer dieser Frau? Wie war es dazu gekommen? „Und das hier ist Captain Sambor Treval, ein naher Verwandter von Hunt Treval von der Kolonie."

„Du bist mit Hunt verwandt?" Er blickte auf Sambor, der feierlich nickte.

„Hunt und ich sind zusammen aufgewachsen. Er kann das bestätigen. Ich bin ein Krieger von Ehre. Ich würde niemals einer Frau etwas tun", versicherte Sambor ihm.

Der Atlane hielt inne, als würde er überlegen. Im ganzen Raum hatten inzwischen auch andere Atlanen und mehr als nur ein Prillonen-Duo Interesse an unserer Unterhaltung entwickelt. Scheiße. Ich hatte keine Aufmerksamkeit erregen wollen, schon gar nicht mit dieser wunderschönen Frau in meinen Armen.

„Ich versichere Ihnen, Kampflord, ich bin ein Mann von Ehre. Lucy ist bei mir in Sicherheit", bemühte ich mich, die überfürsorgliche Bestie zu besänftigen und hielt fast den Atem an, während ich auf seine Entscheidung wartete. Würde er Lucy meiner Obhut überlassen? Oder sie mir aus den Armen rauben, bevor ich Gelegenheit gehabt hatte, zu lernen, wie ich ihr Freude bereiten konnte? Sie zum Seufzen bringen? Zum Stöhnen? Dazu, vor Lust zu schreien?

„Lass Lucy in Ruhe", sagte die Gefährtin des Atlanen zu ihm. „Diese Männer werden sich *um sie kümmern.*"

Mir entging ihr Grinsen nicht, als sie das sagte, auch wenn mir nicht ganz klar war, worüber sie grinste.

„Komm schon, Rezzer. Tanz mit mir", fuhr sie fort und zerrte an seiner Uniform. „Ich zeig dir die Schritte."

Mit einem letzten Blick auf mich, begleitet von einem warnenden Fauchen—als wäre mir nicht klar, dass es meinen Tod bedeuten würde, wenn Lucy auch nur ein Haar gekrümmt würde—ließ er sich von seiner Gefährtin zurück in die Schritte des seltsamen Tanzes führen.

Lucy schmiegte sich an meine Seite, sobald der Kampflord sich entfernt hatte.

„Das war ganz schön intensiv“, sagte sie, dann blickte sie hoch in meine Augen und ich vergaß, dass wir mitten in einem Raum voller Leute standen. „Danke, dass du mich aufgefangen hast.“

„Mit Vergnügen.“ Die Worte waren idiotisch, aber das war mir egal. Sie zu berühren, war pures Vergnügen. Ebenso, wie in ihre Augen zu blicken, oder die Umrisse ihrer Lippen mit dem Finger nachzuzeichnen.

„Im Ernst, Niklas?“, frage Sambor und gab mir einen Stoß, der ausreichte, um den hypnotischen Bann zu brechen, den die Frau scheinbar über mich gelegt hatte. Ich blickte hoch und stellte fest, dass er grinste. „Jetzt brichst du schon Auseinandersetzungen vom Zaun? Ich dachte, du wärst Diplomat.“

„Du warst es doch, der meinte, wir sollen es uns gut gehen lassen.“ Ich warf Sambor einen eindringlichen Blick zu und neigte den Kopf in Richtung der Menschenfrau in meinen Armen. Sie war wunderschön. Atemberaubend. Mein Schwanz blieb hart, trotz der Bemühungen meines Verstandes, dem unverbesserlichen Organ Vernunft einzureden.

Sie war als Freundin der Königin hier. Sie war ein Mensch. Wie war es möglich, dass sie keinen Gefährten hatte?

Oder zwei?

Oder drei? Bestimmt musste sie zu jemandem gehören.

Ich hatte heute Abend schon mehr als eine Gruppe Viken-Kämpfer in Begleitung ihrer Frauen gesehen, darunter auch die Königin und die Könige von Viken, mit ihren beiden wunderhübschen Töchtern auf dem Arm. Beide mit dunkelrotem Haar wie ihre Mutter.

Wie Lucy.

„Heilige Scheiße", raunte Sambor nicht lauter als ein Flüstern, als er sich die Frau in meinen Armen genauer ansah. Er erstarrte und als einer der Viken-Könige ihm auf den Fuß trat und sich entschuldigte, zuckte er nicht einmal mit der Wimper.

Ich blickte hinunter und versank in ihrem Blick; mein Körper wurde ebenso starr wie mein Schwanz. Sie wand sich nicht und versuchte nicht, sich zu befreien. Es schien, als würde sie es ebenso genießen, gehalten zu werden, wie ich es genoss, sie zu halten.

„Hast du keine Angst?", fragte ich, laut genug, um die Musik zu übertönen.

„Vor dir und deinen furchtbaren Tanzkünsten?" Sie musste laut lachen, was die feurigen Locken um ihr Gesicht hüpfen ließ. Den Rest hatte sie sich in einer seltsamen Konfiguration, die bei den Frauen häufig zu sehen war, auf ihrem Kopf zusammengedreht. „So oder so, die Antwort ist Nein. Du bist sogar ein wenig kleiner, als ich es gewohnt bin."

Ich war mir nicht sicher, ob ich über ihre Unverblümtheit lachen oder beleidigt sein sollte. Ich war über zwei Meter groß, nicht gerade *klein*.

„Nur Atlanen sind größer als Prillonen. Dein Gefährte ist also eine Bestie?", fragte Sambor. Hatte er nicht gehört, wie der Atlane Rezzer darüber gegrummelt hatte, sie wäre gefährtenlos? Oder suchte er nur Bestätigung? Unsere Blicke fielen suchend auf ihre Handgelenke, die nackt waren. Keine Gefährten-Schellen.

Als der Viken-König erneut gegen Sambor stieß, reichte es mir. Ich hob sie hoch und trug sie aus dem Tanzgetümmel. Lucy leistete keinen Widerstand. Aber als wir den Rand des Raumes erreicht hatten, hatte ich keine andere Wahl, als sie wieder auf die Füße zu stellen.

Ihr Lächeln war offen, einladend und neugierig, während sie uns beide musterte. „Um eure Frage zu beantworten: Nein. Ich habe keinen Gefährten."

„Da du einen Ring in der Nase hast, hatte ich angenommen, dein Gefährte wäre Trione", sagte ich und suchte erneut nach den Umrissen ähnlichen Schmucks in ihren Nippeln.

„Nö, kein Gefährte von Trion und ich bin auch nicht auf der Suche nach einem Gefährten. Egal von welchem Planeten."

„Bist du nicht? Ich hatte es so verstanden, dass ihr Menschenfrauen euren Planeten nur verlassen dürft, um einen Gefährten zu finden oder im Krieg zu kämpfen", sagte Sambor zu ihr. Die Erde war einer von nur wenigen Planeten, die es ihren Frauen gestatteten, zu kämpfen. Eine Entscheidung, die sowohl Sambor als auch ich nicht guthießen. Nicht, weil eine Frau sich in der Schlacht nicht behaupten konnte, sondern weil wir nur zu gerne unser eigenes Leben dafür gaben, damit sie das nicht mussten.

Lucy schienen Sambors Worte nicht zuzusagen. Sie runzelte die Stirn und mir gefiel nicht, wie die Falten ihr hübsches Gesicht verunstalteten. „Na dann. Dann weißt du ja gründlich über uns Bescheid, oder nicht? Ich hatte es so verstanden, dass ein Mann von Prillon Prime sich für eine Braut testen lassen muss, weil er alleine keine finden kann."

Ich musste darüber grinsen, wie groß Sambors Augen bei ihrer gut platzierten Retourkutsche wurden und darüber, wie er seinen Kopf vor ihr verneigte.

„Ich bitte um Vergebung. Lucy, richtig?", fragte er.

„Ja."

„Wenn du also nicht hier bist, um einen Gefährten zu erwerben, wozu dann?"

Ihre leuchtend grünen Augen blickten zwischen Sambor und mir hin und her, mit... unverhohlener Begierde. Lust. Offenkundiger Wertschätzung.

Begehren.

Mein Schwanz pochte gegen meine Hose, begierig darauf, zu ihr zu gelangen und ihr alle Gelüste zu erfüllen, die sie verspüren mochte. Ich stellte sie mir im Bett vor, zwischen Sambor und mir. Nackt. Unsere Hände und Münder an ihrem Körper. Unsere Schwänze in ihr.

Ich konnte ihr lustvolles Stöhnen geradezu hören, ihre befriedigten Schreie.

Sie legte mir ihre Hand auf die Brust und ich konnte ihre Hitze durch meine Tunika hindurch spüren. Verdammt, wie voller Widersprüche sie doch war. Winzig und zerbrechlich und doch eine Zunge, die schärfer war als die gefürchtetste Viken-Klinge. Erst diese Leichtigkeit, und nun dieses... Feuer.

Sie trat noch einen Schritt näher und setzte ihre Hand auch Sambor an die gleiche Stelle. „Ich bin hier, um mich zu vergnügen. Ein wenig Spaß zu haben."

„Bitte, lass dich von uns nicht davon abhalten, noch ein wenig weiter zu tanzen." Ich würde ihr nichts verwehren, und ich musste gestehen, dass es ganz schön erotisch sein würde, ihr beim Tanzen zuzusehen. „Solange die Königin nichts anderes befiehlt, werden wir hier verweilen und ein Auge auf das Geschehen haben."

„Ich will, dass ihr mehr tut als nur zuzusehen." Oder zumindest bildete ich mir ein, dass sie das gesagt hatte – ihre Stimme war nur noch ein Flüstern. „Du bist also ein Lord?", fragte sie, lauter diesmal, während ihr Daumen auf meiner Brust hin und her fuhr und mich ablenkte.

Ich musste mir vorstellen, wie dieser Daumen über meine Schwanzspitze streichen würde und ich war drauf und dran, sie mir über die Schulter zu werfen und in ein leeres Zimmer im Palast zu tragen, damit sie das auch tun konnte.

Ihr Duft erfüllte meinen Kopf, und mein Herz raste, als wäre ich gerade einem Hive-Späher in einem Tarnkappen-Flieger entwischt. „Mein *Name* ist Niklas."

„Nik."

Noch nie zuvor hatte jemand meinen Namen abgekürzt, doch die Koseform brachte mich beinahe dazu, laut *Meins* zu brüllen, damit mich jedermann über den Krach der Musik hören konnte. Götter, sie war ein verwegenes kleines Ding. Keine prillonische Frau würde so direkt auf einen Mann zukommen. Sie leckte sich über die Lippen und blickte Sambor an.

„Und du?" Sie blickte an Sambor hoch, der in Panzerung steckte und gute zwei Kopf größer war als die zierliche Frauengestalt. Dennoch erschien sie furchtlos.

„Ich bin Sambor Treval." Er legte seine Hand über ihre und verneigte sich leicht aus der Hüfte heraus.

„Sam und Nik." Sie seufzte, als hätten wir ihr die Geheimnisse des Universums offenbart und sie mit Glückseligkeit erfüllt. Plötzlich wollte ich noch viel mehr Laute aus ihrer kleinen Kehle hören. Ich wollte hören, wie sie bettelte, oder leise vor Erlösung schrie. Seufzte, während sie sich hingab. Ich stellte mir vor, ihr den zarten grünen Stoff vom Körper zu streifen und die goldenen Riemen aufzuknüpfen, die sich über ihrer Taille und ihrer Brust kreuzten, als würde ich ein Geschenkpäckchen öffnen.

„Seid ihr beiden zusammen?" Ihr grüner Blick blitzte zwischen uns beiden hin und her. „Ihr wisst schon, wie ein Krieger und sein Sekundär?"

Verdammte Scheiße. Mein Schwanz erwachte zum Leben, als Sambor nickte. „Ja, ich bin sein erwählter Sekundär."

„Wie können wir dir behilflich sein, meine Dame? Ein Getränk vielleicht?", fragte ich, bemüht, die Beherrschung über meinen Körper wiederzuerlangen nach dem Schlag in die Magengrube, den diese kleine Menschenfrau darstellte. Wogende rote Lockenpracht, blasse Haut, die zu ebenmäßig und perfekt war, um wahr zu sein. Ihre grünen Augen waren mit dunklen Akzenten umrahmt, die sie größer erscheinen ließen, unschuldiger. Offensichtlich eine Zauberei, denn sie verhielt sich alles andere als unschuldig.

Sie war die pure Verführung. Schönheit.

„Orgasmen."

Ich hustete, verblüfft von ihrer Offenherzigkeit. Sambor lachte.

„Orgasmen?", wiederholte Sambor.

„Ich habe schon zu viele Nächte alleine in meinem Bett verbracht." Sie blickte an uns hoch und runter; dann blieb ihr Blick im *unteren* Bereich hängen, auf unseren Schwänzen. Meiner war stahlhart und drückte gegen meine Hose. Ich war mir sicher, dass Sambor sich in einer ähnlich misslichen Lage befand. „Ich hatte gehofft, dass ihr beiden mir während meines Aufenthaltes hier vielleicht Gesellschaft leisten wollt?" Ihre Worte waren offenherzig, aber ihr Blick war abgewandt, unsicher – nun, da sie sich uns anbot.

Und doch bestand an ihrer Aufrichtigkeit kein Zweifel. Oder ihrer Bedürftigkeit. Ich holte scharf Luft und atmete ihren femininen Duft ein, das süße Parfum ihrer Haut. Ihrer Pussy, heiß und nass und begierig. Nach mir und Sambor. Zusammen.

„Du möchtest, dass wir uns um deine

Lust kümmern", sagte Sambor. Außer der Palastwache waren alle anderen mit Tanzen beschäftigt. Trotzdem sprach er nur leise. „Dich berühren. Dich ficken. Dich vor Lust zum Schreien bringen?"

Typisch Sambor, es so vulgär auszudrücken, aber ihre Augenlider flatterten überrascht und senkten sich dann, um ihre Lust zu verbergen. Ihre rosige Zunge blitze hervor, um sich über die Unterlippe zu lecken. „Ja. Genau das möchte ich."

Ich hob meine Hand hoch, um ihre Wange zu umfassen und sanft ihr Gesicht zu mir hoch zu heben und wartete mit fast unendlicher Geduld darauf, dass sie ihre Augen öffnete. Als sie es tat, ächtze ich nahezu. Ihr grüner Blick schwamm nur so vor ehrlichen Gefühlen. Begehren. Vertrauen.

Hingabe.

Ich konnte nicht widerstehen und strich mit dem Daumen über ihre volle Unterlippe, stellte mir vor, wie sie um meinen Schwanz herum aussehen würde.

Sie hatte sich uns angeboten. Der rohe Hunger, der mir durch den Körper schoss, machte mir die Entscheidung leicht. Ich beschloss, das Angebot anzunehmen. Die Party lief um uns herum weiter. Es schien, als würden Sambor und ich unsere eigene kleine Party haben. Eine kleinere, intimere, mit nur einem Gast. Wer brauchte schon eine Kostprobe von der Erdentorte, die vorgeführt worden war, wenn wir stattdessen Lucy von der Erde vernaschen konnten?

3

 *ucy*

ICH MUSSTE MICH ANSTRENGEN, um ruhig zu bleiben. Meinen Blick auf sie gerichtet zu lassen, während ich auf eine Antwort auf meine Frage wartete. Falls sie mich abwiesen, würde ich bestimmt sterben. Also gut, nicht wirklich, aber innerlich zumindest ein kleines bisschen. Es war schwer genug, mit mehreren anderen Frauen von der Erde auf

der Kolonie zu leben und mitzubekom-
men, wie es mit deren Gefährten zur
Sache ging. Besonders bei meiner allerbeste Freundin Olivia mit ihrem Wulf.

Ich war mir so sicher gewesen, dass
ich inzwischen schon meinen eigenen
Gefährten haben würde. Stattdessen
hatte ich viel zu viel Zeit mit meinem Vibrator verbracht und gar keine mit
einem echten, lebendigen Mann aus
Fleisch und Blut. Wenn ich so gründlich
dabei versagen würde, zwei Prillonen zu
einem One-Night-Stand zu verlocken,
dann würde ich am Boden zerstört sein.
Und der erwähnte Vibrator, der mir
schon leid war, würde ein Upgrade brauchen, denn meine Intimzone würde
wohl ab heute nur noch mechanische
Geräte zu sehen bekommen.

Dieser Ausflug war die Gelegenheit,
es heiß hergehen zu lassen. Klar, der Palast auf Prillon Prime war noch lange
kein Las Vegas, aber es war für mich die
Gelegenheit, mich zu betrinken, öffentlich meine Titten zu zeigen und mit

einer wunden Pussy und vom Ficken
ganz krummen Beinen aufzuwachen.

Diese beiden Prillonen waren umwerfend. Ernsthaft außerirdisch scharf.

Sambor war wie ein goldener Gott –
jeder Zentimeter an ihm glänzte, als
hätte König Midas ihn berührt. Goldene Haut, goldenes Haar und ein
etwas dunkleres Gold in seinen Augen.
Seine scharfkantigen prillonischen Gesichtszüge machten ihn auffallend gutaussehend, wie ein perfektes
Strandmodel, wie man sie von Werbe-
plakaten für Männerduft kannte. Ein
Sonnengott.

Und dann war da noch Nik. Sein
Haar war so dunkel, dass es beinahe
schwarz aussah, seine Augen ein auffal-
lendes und ausgesprochen außerirdisch
leuchtendes Kupfer und seine dunkle,
glatte Haut erinnerte mich an geschmolzene Schokolade auf ofenwarmen Kek-
sen. Ich würde mir nur zu gerne diesen
goldenen Leckerbissen schnappen, ihn
zerteilen und die dunkle, triefende Scho-

kolade auf meiner Zunge schmelzen lassen.

Wie Prillon-Samen wohl schmeckte? Ob er salzig war? Süß? Ob Niks Haut wohl nach Schokolade schmeckte? Oder Sambors goldene Haut nach Metall? Nach Vanille? Nach Sonnenschein? Ich war im Herzen Künstlerin und Farbpaletten waren mein Leben. Mir schwirrten dutzende Namen im Kopf herum, Ideen, wie ich diese beiden Männer und ihre ungewöhnliche Färbung beschreiben wollte. Ich wollte mehr von ihnen sehen. Nein. ich wollte *alles* von ihnen sehen.

Ich wollte sie berühren. Und schmecken? Wie wohl ihre Küsse schmeckten? Ihre Haut? Ob sie wohl knurrten oder japsten, wenn sie kamen? Wie wohl ihre Schwänze aussahen? Wie *menschlich* der Rest von ihnen?

Hatten sie ähnliche Gedanken? Denn sie starrten und starrten immer weiter, als hätte ich ihnen gestanden, ich wäre eine Späherin der Hive.

In Ordnung, ich hatte wohl meine Antwort. Oder Nicht-Antwort. Meine Spannung wich aus mir heraus, als wäre ich ein Heliumballon und sie hätten gerade ein Messer in mich gestochen. Ja, es war wohl an der Zeit, mich zu entfernen, bevor ich noch völlig verschrumpelte und in einer Pfütze der Scham auf dem Boden landete. Es war an der Zeit, diese wunderschöne Robe auszuziehen, in meine üblichen Jogginghosen zu schlüpfen und zur Kolonie zurück zu transportieren.

Ich wollte meine Hände von ihren muskulösen Brustkörben nehmen, aber sie ließen das beide nicht zu. Sie hielten meine Hände fest.

„Ich habe kein Problem damit, dir Lust zu bereiten", sagte Nik. „Du vielleicht, Sambor?"

„Nicht im Geringsten."

Erleichterung stieg in mir hoch und ich seufzte. Ich konnte mir ein Lächeln nicht verkneifen. „Gut so." Ich warf einen Blick über meine Schulter auf die

Tanzenden. „Jetzt wäre ein guter Zeitpunkt, sich davonzuschleichen. Rezzer
ist nicht der Einzige, der mich im Auge
behält."

Niks Blick hob sich über meinen
Kopf hinweg und er durchsuchte die
Gruppe der Anwesenden.

„Es freut mich, zu hören, dass du
unter Schutz stehst; aber von uns hast
du jedenfalls nichts zu befürchten", ge-
lobte Nik.

Sie standen vielleicht da wie zwei
Riesen, aber ich war Wulfs enorme Ge-
stalt gewöhnt, was hieß, dass er mich
nicht einschüchterte. Sicher, Wulf pol-
terte manchmal herum und ging mir auf
die Nerven, aber er würde mir niemals
wehtun. Das Gleiche galt für Bruan, der
ein Riese war, ein Cyborg, und der wie
ich vermutete auch gegen einen ausgewachsenen Anfall von atlanischem Paarungsfieber ankämpfte. Nicht, dass er es
beim Namen genannt hätte. Bruan
würde eine Frau nicht mit einem solchen Gespräch unter Druck setzen. Tat-

sächlich würde keiner der Alienmänner, denen ich begegnet war, einer Frau jemals etwas zu Leide tun. Also hatte ich vor diesen beiden Prillonen auch keine Angst. Nervös war ich, und wie. Notgeil, definitiv. Ich hatte mich noch *niemals* so an einen Kerl herangemacht. Ich war keine Jungfrau, aber ich war noch nie auf einen Fremden zugegangen—*zwei* Fremde—und gesagt, dass ich Orgasmen wünschte. Und hier handelte es sich auch nicht um langweilige, zahme Erdenkerle. Sondern um Prillonen. Herrisch, beschützerisch und dominant. Sie führten Kampfgruppen an, ohne ins Schwitzen zu geraten.

Ich war mir nicht ganz sicher, ob ich auf gute oder schlechte Weise verrückt war. Wenn ich sie mir so ansah, war ich jedenfalls auf eine *böse* Art verrückt. Ich deutete mit dem Finger vorne auf ihre Hosen. „Außer vor diesen beiden. Meine Pussy hat ein wenig Angst davor, was da in euren Hosen steckt. Habt ihr etwa Ionenpistolen in den Hosentaschen, oder freut ihr euch so sehr über mein Angebot?"

Sie runzelten im Tandem die Stirn. Oh ja, ich setzte Sarkasmus als Abwehrmechanismus ein, wenn ich nervös war. Aber es schien, als hätte ich die beiden verwirrt. Ich lachte. „Mache ich eure Schwänze so hart?"

Ich sah zu, wie Nik schwer schluckte. „Oh verdammt, ja."

Ich leckte mir über die Lippen und sagte: „Dann sollten wir auf mein Zimmer gehen."

„Oh verdammt, ja", kam es diesmal von Sam.

Und als ich diesmal die Hände von ihren Oberkörpern nehmen wollte, ließen sie es geschehen. Ich schlang meine Finger um ihre und führte sie aus dem Saal, und die Musik und alle anderen auf der Party wurden hinter uns immer leiser. Die Country-Hymne, zu der wir alle getanzt hatten, ging zu Ende, und das Lied aus der Ballszene in *Pretty in Pink* begann. Niemand würde mich

vermissen. Und falls doch, dann würden
die Mädels denken, ich hätte mein
Abenteuer à la Las Vegas endlich
gefunden.

Es war vielleicht ein wenig verrückt
von mir, zwei Riesen-Aliens auf mein
Zimmer zu bringen, aber ich war nicht
dämlich. Ich schlief im Palast, von Wachen umringt. Ich brauchte nur zu
schreien, und schon würde mir ein
Schwarm von königlichen Wachen zu
Hilfe eilen.

Je weiter wir uns von den öffentli-
chen Räumlichkeiten des Palastes ent-
fernten   und   dem   Gästeflügel
näherkamen, umso mehr gab es nur
noch mich und diese beiden Prillon-
Prachtstücke... und deren riesige, harte
Schwänze. Als ich schließlich die Tür zu
der wunderschönen Kammer, die mir
zugeteilt worden war, schloss, hatte ich
einen Teil meiner Kühnheit unterwegs
verloren. Mein Gehirn bemühte sich,
mich dazu zu bringen, mich für meine
Freizügigkeit zu schämen und es mir an-

ders zu überlegen, aber mein Körper war mehr als nur bereit. Mein Höschen war nun ruiniert. Meine Nippel waren hart.

Ich hatte das hier geplant. Ein Wochenend-Abenteuer, auch wenn es hier im Weltall so etwas wie ein *Wochenende* gar nicht gab. Wulf war nicht im Zimmer und konnte somit auch Sam und Nik nicht die Köpfe abreißen, um meine Ehre zu wahren. Er war nicht einmal auf diesem Planeten. Oder im gleichen Abschnitt der Galaxis. Er war auf der Erde, mit Olivia, und machte Talk-Shows. Ha!

Jetzt war ich an der Reihe.

Ich hatte zwei Kerle mit willigen Köpfen *und* Schwänzen, die mich musterten.

Warteten.

Zwischen uns knisterte es geradezu und ihre intensiven Blicke, ihr Begehren im Raum konnte man geradezu mit Händen greifen.

Begehren nach mir.

Diese Macht, die ich über sie hatte, ließ mich nahezu wimmern, aber ich

biss mir auf die Lippe, um es zu unterdrücken. Ich wollte spüren, wie sie mich
berührten. Mich küssten. Mich fickten.

Ein kehliger Laut entfuhr mir.

Niks Augen blitzten auf. Sam kniff
seine zusammen.

Sie atmeten schwer. Tief, als könnten
sie mich riechen, wussten, dass ich nach
ihnen feucht war.

Das gab mir die Kühnheit, die ich für
den nächsten Schritt brauchte.

Ich nahm Nik an der Hand und ich
keuchte erneut auf. Seine Haut fühlte
sich heiß an, als wäre er ein Inferno und
ich würde gleich verbrennen. Ich spürte
Schwielen auf seiner Handfläche, ein
Zeichen dafür, dass er hart arbeitete.
Diese beiden waren nicht nur herausge-
putzte Würdenträger, die zur Feier ihrer
Königin erschienen waren. Sam war
sichtlich ein Kämpfer. Ein Kerl in Uniform sah auch im Weltall scharf aus.
Was Nik betraf—ich wusste nicht, was er
machte, aber sein muskulöser Körper
füllte sein festliches prillonisches Ge-

wand auf eine Art und Weise aus, wie
das bei den wichtigtuerischen Politikern
auf der Erde niemals der Fall war. Verdammt, keiner der Männer auf der Party
war weniger als riesig, gut gebaut und
muskelbepackt gewesen.

Nik folgte mir schweigend zu einem
gemütlichen Sessel vor dem Fenster. Mit
einer Hand auf seiner Brust gab ich ihm
einen Schubs und er fiel in den Sessel.
Er tat genau, was ich wollte, als hätte ich
hier das Sagen. Hätte er sich nicht hin-
setzen wollen, hätte mein kleiner Schubs
keine Wirkung gehabt. Seine Hände
legten sich auf die Armlehnen des Sessels, scheinbar entspannt. Sein Nacken
war angespannt, und ich konnte seine
Energie spüren, die Anspannung in ihm,
die ganz auf mich gerichtet war.

Ich blickte über die Schulter zu Sam.

Warum fielen sie nicht über mich
her? Warum hatten sie mich noch nicht
gegen eine Wand gedrückt? Mich über
eine flache Oberfläche gebeugt? Mich in
ein weiches Bett gepresst? „Ich dachte,

Prillonen wären total alpha und herrisch", sagte ich.

Sam kam an mich heran. Für einen so großen Kerl war er geradezu lautlos, als er sich neben mich stellte und die Arme vor der Brust verschränkte. „Sehe ich denn nicht alpha und herrisch aus?"

Ich lachte. „Du siehst aus, als kämst du gerade frisch von der Schlacht."

Er legte den Kopf schief und musterte mich. „Schlacht, nein. Niklas und ich sind erst kurz vor der Feier von unserer Tagesmission zurückgekehrt."

Mein Blick fiel auf die Ionenpistole, die er an einen Halfter an seinem Oberschenkel geschnallt hatte. Dann auf den baumstammhaften Oberschenkel selbst. Dann auf den Rest von ihm, in schwarze Rüstung gekleidet, ein durch und durch harter Typ. „Ja, du siehst ausgesprochen alpha und herrisch aus."

Sam deutete mit dem Kopf auf Nik. „Was ihn angeht, er hat vielleicht keine Rüstung an, aber Niklas ist Botschafter. Alleine in dieser Woche hat er in Zusammenarbeit mit dem Leiter des IC eine Nexus-Einheit des Hive verhört, Verbrecher auf Rogue 5 gestellt und es auch noch geschafft, frisch geduscht auf der Überraschungsfeier zum Tag der Geburt der Königin zu erscheinen."

Vom IC hatte ich schon gehört. Jessica hatte mir erklärt, dass er mit dem CIA vergleichbar war, nur mit noch mehr Macht und sie mussten sich zusätzlich zum Üblichen – Spionen, Waffenschiebern, Drogendealern, Sklavenhändlern – auch noch mit den Hive herumschlagen. Insgesamt hörte es sich ziemlich übel an. Die Tatsache, dass Nik mit dem Leiter von diesem Zweig der Koalition zusammenarbeiten musste, verriet mir einiges über seinen Status und das Ausmaß seiner Verantwortung. Auch wenn ich keine Ahnung hatte, was genau ein *Botschafter* im Weltall so machte. Klang ja nicht gerade danach, als würde er nur Hände schütteln und Babys küssen. Nicht, wenn man die prallen Muskeln und Schwielen an

seinen Händen betrachtete, oder die Erwähnung eines Hive-Gefangenen.

Nik schwieg, während ich ihn anstarrte, auch wenn er währenddessen
eine dunkle Augenbraue hochzog. Der
Kontrast zwischen den beiden machte
mich schwindelig. Sie sahen nicht menschlich aus – ihre Gesichtszüge waren zu
scharfkantig, Sams goldene Haut und
Niks kupferfarbene Augen gleichten
nichts, das mir auf der Erde unterge-
kommen war. Aber bei Gott, waren sie
große, muskelbepackte Prachtkerle, wie
ich kaum je welche gesehen hatte. Und
ich *begehrte* sie.

Ich schluckte schwer, als ich mich
mit ihnen verglich. Ich war durch-
schnittlich groß und ein wenig zu kurvig
für den allgemeinen Geschmack zu
Hause. Mein Haar war nicht nur rot,
sondern ein dunkles, lockiges Rost-
braun, von dem mir schon gesagt
worden war, dass es gut zu meinem Tem-
perament passte. Meine Haut war unter
dem Make-Up weiß wie Kreide und

ohne Sonnencreme hatte ich sofort einen Sonnenbrand. Niemand wusste, wie ich unter meiner eigenen Panzerung wirklich aussah.

Also, niemand außer Olivia, und die war nicht hier.

Ich war mit Sommersprossen übersät, besonders im Gesicht, auf den Armen und Schultern. Der Fluch der Rotschöpfe. Ohne den Zauber von Flüssig-Make-Up und Puder, mit dem ich mir stets vor dem Verlassen meines Schlafzimmers die Haut überzog, sah ich aus wie ein scheckiger Freak.

Voll damit.

Ich hatte keine ebenmäßige Haut, oder die umwerfende Schönheit der anderen Damen. Königin Jessica war die perfekte *Barbie*-Blondine. Rachel hatte dieses wunderschöne dunkle Haar und die dazu passende Haut. Lindsey, Kristin und Caroline waren hellhäutig wie ich, aber sie trugen nicht den Fluch der Flecken, die jeden Zentimeter meiner Haut wie eine Landkarte übersäten. Und mit

Mikki wollte ich gar nicht erst anfangen, mit ihrem perfekten, glatten schwarzen Haar und ihrem kleinen, athletischen Surfer-Körper. Sie hatte nicht auch nur einen Hauch von Zellulite.

„Das ist... beeindruckend." Ich fuhr mir mit der Hand übers Haar, das ich mir zu einem hübschen Knoten hochgesteckt hatte, um meine nackten Schultern zu zeigen.

Nein, nicht nackt. Unter Make-Up versteckt. Und die Hochsteckfrisur diente ebenso sehr dazu, die wilden Locken zu verstecken, wie dem allgemeinen Look. Nicht, dass mein Plan funktioniert hatte. Mein Haar hatte seinen eigenen Willen und mein Gesicht war inzwischen von entflohenen Strähnen umrahmt.

Wem wollte ich denn jetzt noch etwas vormachen? Ich war nicht bereit dazu, mich vor diesen beiden gottgleichen Kriegern zu entblößen.

Ich war nicht gerade das, was diese beiden Alienmänner sich von einer

Menschenfrau erwarteten. Ich sah nicht so aus wie die anderen und bestimmt auch wie keine andere Frauenart, die ihnen in der Koalition schon begegnet sein mochte. Wenn die Sommersprossen nicht genug waren, dann reichten die roten Locken aus, um die Grenze von niedlich zu... seltsam zu überschreiten. Selbst die Königin von Viken hatte glattes, perfektes rotes Haar und makellose Haut. Ich sah aus wie eine Straßenkarte, aber ohne die Straßen, die einzelne Punkte miteinander verbanden.

Vielleicht war das hier doch keine so gute Idee gewesen.

Oder vielleicht konnte ich es tun, ohne dabei nackt zu sein? Würden sie es mir in meinem Kleid besorgen?

Nik hielt mir die Hand hin und ich bemerkte, dass ich stumm dastand und ihn schon viel zu lange anstarrte. Ich wollte mir nicht die Zeit geben, in Panik zu geraten, trat näher an ihn heran und legte meine Hand in seine. Seine riesigen, warmen Finger legten sich um meine und etwas in mir wurde sofort ruhiger. Als hätte er gerade den Panik-Schalter entschärft und mich auf die Stufe „langsam köcheln" zurückgedreht. Ich konnte das durchziehen. Wenn ich ihnen nicht gefiel, musste ich sie danach auch nie wieder sehen. Einmal und fertig.

„Wir genießen leider nicht die Vorzüge eines Gefährtenkragens an dir, Lady Lucy", sagte Nik mit ruhiger, gefasster Stimme. Ich bezweifelte auch, dass er selbst Probleme mit seinem Körper hatte. Ich bezweifelte, dass auch nur einer von ihnen sich für seinen Körper schämte. „Wir wissen nicht, was du fühlst. Du wirst es uns sagen müssen."

Ach du Scheiße. „Gefährtenkragen?", quiekte ich, dann schluckte ich schwer. „Ich will keinen Gefährtenkragen." Nur um das klarzustellen. Das hier war ein One-Night-Stand. Mikki, Kristin und Rachel hatten alle einen Kragen und ich wusste, was das bedeutete. Wie *mächtig* er war. „Ich muss nach dem Geburtstags-ball auf die Kolonie zurückkehren. Ich bin nur zwei Tage hier. Zwei Tage."

„Du musst für deine Arbeit dorthin zurückkehren?", fragte Niklas.

Ich legte mir die Hand auf die Brust. „Ich? Nein. Auf der Erde habe ich Frauen die Haare geschnitten und ge-stylt. Also, manchmal auch Männern. Ich habe mit Olivia in der Show *Bachelor Bestie* gearbeitet und dort Make-Up ge-macht. Ich bin Maskenbildnerin und Friseurin."

Sams blasse Augenbrauen schwangen sich in die Höhe. „Ich habe von diesem Video-Programm auf der Erde gehört. Zu meinem Glück bin ich nicht Atlane, denn es klang nicht so, als hätte Kampflord Wulf Spaß daran gehabt."

Ich zuckte mit den Schultern. „Er hat seine Gefährtin gefunden, also denkt er, es war die Sache wert."

Sie musterten mich beide. „Ja, das kann ich verstehen", sagte Nik und betrachtete mein Haar. „Hast du dir heute Abend selbst die Haare gemacht?"

Ich tätschelte meine Locken. „Ja."

„Die Farbe ist wunderhübsch. Alles an dir ist wunderhübsch. Ist es auf der Kolonie notwendig, Frauen zu stylen?"

Ich hielt die Hand hoch, um seine Worte zu stoppen. „Notwendig? Nein. Nicht auf der Kolonie. Es gibt dort nur wenige Frauen. Außerdem habe ich größere Ziele, als nur Stylistin zu sein."

„Ach?", fragte Sam. „Was ist dein großer Wunsch?"

„Einen Schönheitssalon aufzumachen. Einen Ort, wo Frauen – von allen Planeten – sich entspannen können, ihren Körper verwöhnen lassen und sich so richtig selbstbewusst und schön fühlen. Ich möchte ihnen einen Ort schaffen, wo sie sich um sich selbst kümmern können."

„Das ist die Aufgabe eines Gefährten", fügte Nik hinzu.

„Nein. Ist es in Wirklichkeit nicht. Wenn eine Frau sich in ihrer Haut wohlfühlt, dann sieht man das in allem, was sie tut. Und dabei möchte ich helfen."

„Du möchtest dich um andere kümmern, um ihre Gesundheit und ihr Wohlbefinden. Dein Ziel ist bewundernswert."

Ich schenkte Niklas einen eigenartigen Blick. „Bewundernswert? Ich rede von Schminke und Massagen. Was ihr Männer macht, das ist bewundernswert."

Sam stellte sich hinter mich und legte mir sanft die Hände auf die Schultern. Ich konnte die Hitze spüren, die er ausstrahlte. „Wenn nicht für diese Arbeit, warum musst du dann schon so bald auf die Kolonie zurückkehren?"

„Meine Familie lebt dort. Ich werde sie nicht verlassen."

„Familie? Ich dachte, du wärst gefährtenlos."

„Ich betrachte meine beste Freundin Olivia und ihren Gefährten Wulf als meine Familie. Sie haben zwei kleine Kinder, Olivias Nichte und Neffe. Lange

Geschichte. Sie sind nicht blutsverwandt, aber sie sind trotzdem die
Meinen."

Deutlicher konnte ich es nicht machen. Olivia, Tanner und Emma – und
inzwischen auch Wulf, der große, überfürsorgliche Klotz – waren die Meinen.
Ich liebte sie mit jeder Zelle meines Körpers. *Tante Wucy* würde sie niemals im
Stich lassen.

Sambors Lippen wanderten über die
Kuhle an meinem Hals, wo meine
Schulter ansetzte, und ich freute mich
einmal mehr über meine Entscheidung,
mir das Haar hochzustecken, während
mir ein Schauer über die Haut lief. Ich
war mir sicher, dass er meine Gänsehaut
sehen und spüren konnte.

„Zwei Tage also. Nun, meine Dame,
abgesehen von Orgasmen, was genau
wünscht du mit uns zu tun?", fragte Niklas, und sein Blick verschmolz mit meinem, während Sams Lippen verweilten
und Begehren durch mich schoss.

„Warst du schon einmal mit zwei Männern zusammen?"

„Nein."

„Bist du Jungfrau, Lucy?", flüsterte Sam, und sein Atem hauchte mir übers Ohr. Seine Hände bewegten sich nicht von meinen Hüften weg und die Hitze schien durch Niks Blick noch verstärkt zu werden. Das hier waren Krieger, keine Schuljungen. Sie waren Aliens. Beschützerisch. Besessen. Ich hatte gesehen, wie Maxim und Ryston mit Rachel umgingen. Hunt und Tyran mit Kristin. Ich wusste, dass das hier ganz schön schiefgehen konnte, wenn ich nicht vorsichtig war.

„Nein. Ich bin keine Jungfrau. Ich will Sex. Heißen Sex. Und ja, Orgasmen. Welche, die ich mir nicht selber besorgen muss. Und danach will ich nach Hause."

Sam lachte leise und der Laut vibrierte mir geradezu durch den Schädel. „Du willst uns für dein Vergnügen benutzen und dann davonlaufen?"

Nun, wenn er es so formulierte, klang ich wie ein wirklich beschissenes Menschenexemplar. Aber ja, genau das war es, was ich wollte. „Auf der Erde nennen wir es einen One-Night-Stand." Ich räusperte mich. Ich war noch nervöser, als ich mir eingestehen wollte. „Also genau gesagt will ich wohl zwei Nächte – und Begleitung zum königlichen Ball. Aber danach kehre ich nach Hause zurück."

Sam schlang mir von hinten seine Arme um die Taille. Sein Kinn ruhte nun auf meiner Schulter, und er blickte zu Nik. „Ich habe damit kein Problem. Niklas?"

Nik blickte von Sam zu mir, und sein Blick verschmolz mit meinem, während die Hitze von Sams Körper mich von hinten zum Schmelzen brachte. Sein harter Schwanz drückte sich in meinen Rücken und ich konnte nur durch schiere Willenskraft ein Stöhnen unterdrücken. Ich *wollte* das hier. Wollte sie. Die Männer auf der Kolonie waren sexy, tolle Krieger, aber keiner von ihnen hatte mich dazu gebracht, so viel zu *fühlen* wie Nik und Sam in den wenigen Minuten, die vergangen waren.

Ich steckte hier in der Tinte. Das wusste ich. Ich wusste nur noch nicht genau, wie tief. Ich war kühn und tapfer gewesen und hatte mich ihnen angeboten und sie auf mein Zimmer gebracht. Ich würde *keinen* Rückzieher machen. Ich *wollte* nackt sein, sie überall berühren, sie schmecken. Zwischen ihnen schlafen und wissen, dass ich vollkommen und von allen Seiten beschützt war. Sicher. Begehrt. Ich brauchte es, mich schön zu fühlen und begehrt und wie eine Frau, anstatt wie ein Kindermädchen. Zumindest ein paar Tage lang. Ich wollte keine weitere Veranstaltung als Olivia und Wulfs fünftes Rad am Wagen besuchen. Ich brauchte etwas Abstand davon, mich um alle anderen zu kümmern. Dafür zu sorgen, dass andere hübsch aussahen. Einmal nur wollte ich etwas für mich selbst tun.

„Niklas?" Sam hob den Kopf und zog seine Hände von meinen Hüften. Plötzlich wurde es kalt im Raum und ich zitterte, als ich seine Wärme verlor. Das grün-goldene Kleid, das ich trug, war wie aus einem Märchen, aber es war nicht sehr warm. Der weiche Stoff schmiegte sich an jede meiner Kurven, aber trug nicht viel dazu bei, mich zu wärmen.

Nik blickte nicht zu Sam. Er beobachtete immer noch mich. „Wir sind Männer von Würde. Von Ehre. Deinen Worten zufolge wird es uns nicht zuteil werden, dich in Besitz zu nehmen. Wenn du wünschst, was du beschrieben hast, meine Dame, so stehen wir dir zu Diensten. Du musst dir nehmen, was du brauchst."

„Den Göttern sei Dank." Sams Ausruf war von Geräuschen gefolgt, die ankündigten, dass er sich eifrig die Stiefel auszog. Als nächstes krachte Rüstung auf den Boden.

All das, während Nik mir weiterhin

tief in die Augen blickte. In seinem Blick lag eine Herausforderung. Eine Mutprobe. Er wartete darauf, dass ich genau das tat, was er gesagt hatte. Ich musste mir *nehmen, was ich brauchte.* Ich hatte das Sagen.

Ich leckte mir über die Lippen, hob das Kinn und sagte: „Zieh dir deine Kleider aus, Lord Niklas. Ich will dich ansehen."

Langsam stand er auf, um sich seine dunkelblaue Tunika auszuziehen. Mir lief geradezu das Wasser im Mund zusammen, während er seine wohlgeformten Bauchmuskeln und einen riesigen Brustkorb entblößte. Jedenfalls also kein Schreibtischhengst.

Mit pochendem Herzen blickte ich über meine Schulter auf einen inzwischen halbnackten Sam. Er hatte eine Art Unterhose aus weichem Stoff angelassen, die er wohl unter seiner Rüstung getragen hatte. Sein goldener Körper war sogar noch massiger, noch muskulöser – wenn das überhaupt möglich war. Und sein Schwanz? Der drückte sich gegen den schwarzen Stoff wie ein wildes Tier, das ausbrechen wollte.

„Du auch, Sam. Stell dich dort drüben hin." Ich deutete neben Nik. „Ich will euch beide ansehen."

Sam blickte zu Nik, um sich die Erlaubnis einzuholen, sich zu bewegen, was mich sowohl faszinierte als auch nervte. Ich sah Nik aus zusammengekniffenen Augen an, konnte meine feminine Macht nun in vollem Ausmaß spüren. „Ich habe ihm gesagt, er soll sich bewegen. Er ist vielleicht dein Sekundär, aber ich dachte, ich hätte hier das Sagen."

Niks Blick wurde nur noch dunkler —das Kupfer nahm einen gebrannten Farbton an, den ich noch nie zuvor gesehen hatte, aber es ließ meine Pussy vor Hitze zusammenzucken. Ihn zu necken, die Bestie in ihm zu reizen, machte *Riesenspaß*.

Und auch ihm schien es zu gefallen.

„Ich werde dir gestatten, das Tempo

vorzugeben, meine Dame, und dir von uns zu nehmen, was du brauchst. Aber das Sagen hattest du niemals."

Verflucht, das stimmte wohl. Sie konnten mich dominieren. Zum Guten wie zum Schlechten. Sie taten es nur nicht, weil Nik entschieden hatte, mir zu *gestatten*, sie anzuleiten. Mir zu nehmen, was ich wollte.

„Ich gestatte dir, das Tempo zu bestimmen, aber deine Lust gehört mir."

Doppelt verflucht. Ich hatte gesagt, dass ich Orgasmen von ihnen wollte. Ich war ihnen ausgeliefert, egal wie herrisch ich mich benahm.

Auch gut. Mir fielen ein paar Dinge ein, mit denen ich seine Selbstbeherrschung ins Wanken bringen konnte. Ich fasste nach der Schnürung an meinem Kleid. Zog an den Bändchen, bis sie sich lösten. Hielt die Arme über den Kopf wie eine Göttin, während der Stoff lautlos an meinem Körper hinunterglitt und sich zu meinen Füßen sammelte. Darunter trug ich einen trägerlosen

Push-Up-BH und einen Stringtanga. In Grün, passend zu meinem Kleid. Und meinen Augen.

Die S-Gen-Maschine der Koalition war ganz schön praktisch, wenn man erst gelernt hatte, damit umzugehen.

Keiner der Männer rührte sich, während sie die Menschen-Unterwäsche auf sich wirken ließen. Sie beide sahen – wie vom Blitz getroffen aus.

Ich lächelte. Gott, fühlte sich das gut an. Sie hatten kein Wort über die Sommersprossen auf meinen Beinen und meinem Rücken verloren. Und anders als die anderen Damen hatte ich beschlossen, *da unten* eine kleine Landebahn aus Haaren übrig zu lassen.

Die hatten sie aber noch nicht gesehen. Noch. Mit nacktem Oberkörper standen die beiden Seite an Seite. Mit harten Schwänzen, die gegen den Stoff kämpften. Eine solche Reaktion konnte man nicht vortäuschen und die dunkeln Flecken, wo ihre Lusttropfen ihre Kleidung durchfeuchteten, gaben mir nur noch mehr das Gefühl von Macht. In diesem Moment gehörten sie mir. Ich konnte mit ihnen anstellen, was ich wollte. Dieser hochwohlgeborene Lord von Prillon Prime hatte das gesagt und ich glaubte es ihm.

Meins. Meins. Meins. Alle beide.

„Soll ich fortfahren, Lord Niklas? Sambor?"

„Ja." Sie antworteten wie aus einem Munde und ich lächelte.

„Macht euch nackig."

Sie kamen meiner Anweisung sofort nach und meine Knie wurden weich, als ich zu sehen bekam, was sie bisher verborgen hatten. Zwei Schwänze. Einer aus Gold. Der andere von tiefem, prächtigem Braun. Beide groß. Hart. Und willig.

Sie standen entblößt vor mir. Die langen Schwänze direkt auf mich gerichtet.

Ich legte meine Hand auf Niks Brustkorb und schob ihn nach hinten in den Sessel. Erneut ließ er es geschehen. „Ich begehre dich", sagte ich, auch wenn das inzwischen ziemlich klar war.

Sein Schweigen reichte aus, um mich zu ermutigen, einen Schritt weiter zu gehen. Ich setzte ein Knie neben seine Hüfte, dann das andere und saß so auf ihm. Ich arbeitete mich an seinem Körper nach oben, küsste und leckte. Er erzitterte, aber seine Hände blieben starr auf den Armlehnen des Sessels liegen. Sam sah zu; sein hörbar stockender Atem bewegte mich dazu, eine Hand um seinen Schwanz zu legen, während ich Niks Lippen mit einem Kuss eroberte.

Ich kostete ihn. Erforschte. Ganze fünf Sekunden lang.

Dann war Niks Hand in meinem Haar, und sein Mund eroberte meinen mit rauem Verlangen, dem ich nichts entgegenzusetzen hatte. Er plünderte meinen Mund, während ich Sams Schwanz drückte und rieb, die Bewegungen meiner Zunge nachahmte, die sich mit der von Nik duellierte.

Nik zog an meinem Haar und ich

stöhnte über den sanften Schmerz. Er brachte mich dazu, meinen Körper an seinem harten Schwanz zu reiben. Ich öffnete den vorne liegenden Verschluss meines BHs und warf das verdammte Ding in eine Ecke. Ich wollte Haut an Haut. Ich wollte Niks harten Schwanz in mir. Ich wollte, dass Sam um seinen Verstand rang, während ich ihn mit meiner Zunge bearbeitete. Ich wollte sie beide *erobern* wie eine knallharte Kriegerin des Schlafzimmers. Ich zog vielleicht in zwei Tagen wieder von dannen, aber ich wollte, dass sie den Rest ihres Lebens an mich dachten, wann immer sie eine Frau berührten. *Diese Art Frau* wollte ich für sie sein. Die Art, die sie im Traum verfolgte. Die Art, die sie niemals vergessen konnten. Das wilde, hemmungslose böse Mädchen, das ich so absolut *nicht* war.

„Reiß mir das Höschen runter", befahl ich, mit stockendem Atem.

Nik blickte mich an, als würde er mir nicht gehorchen wollen. Aber das kam nicht in Frage. „Reiß es mir runter. Ich kann mehr herstellen." Ich hob die Hüften und rieb das nasse Stoffffetzchen, das meinen Kitzler und meine Pussy bedeckte, über seinen harten Schaft.

Mehr brauchte es nicht. Mit einem Knurren und einem scharfen *Ratsch* war es verschwunden. Aber ich war noch immer nicht so richtig da, wo ich sein wollte.

Langsam, bedächtig zog ich Niks Hand aus meinem Haar und legte sie auf die Armlehne zurück. Seine andere Hand hatte meinen Hintern nicht verlassen, seit mein Höschen weg war, also schlang ich meine Finger um seine und legte auch diese Hand auf den Sessel zurück.

Sein Brustkorb hob und senkte sich heftig, aber er beobachtete mich. Wartend.

Ich blickte zu Sam hoch, nahm meine Hand von seinem Körper und richtete mich auf den Knien auf. Ich blickte von einem zum anderen, musste darauf achten, dass sie zulassen würden, was ich vorhatte. Ich holte mir ihre Zustimmung. „Alles, was ich will?"

„Alles, meine Dame", stimmte Sam zu. Diesmal war seine Stimme tiefer. Rau.

„Ja." Niks einsilbige Antwort zeugte von so angestrengter Zurückhaltung, dass ich mich fragte, ob ihm gleich eine Ader im Kopf platzen würde.

Danach bewegte ich mich, stand kurz auf, um mich umzudrehen. Ich griff nach Sam und zog seinen Kopf an meinen heran, küsste ihn so, wie ich Nik geküsst hatte. Alles war Feuer und Zunge und Lust, und ich schmolz in seinen Armen dahin. Er umschlang mich, drückte seine große Brust heiß und hart an mich.

„Das reicht." Ich ignorierte Niks Anweisung; Sambor jedoch gehorchte sofort und stellte mich wieder auf die Füße. Sein Brustkorb hob und senkte sich, und ich wusste, dass er nun mir gehörte, ebenso wie sein ungeduldiger Freund hinter mir.

Mit einem Grinsen an Sam setzte ich mich wieder auf Niks Schoß, diesmal umgedreht, sodass ich von ihm abgewandt war. Ich fasste hinter mich und setzte mir die Spitze seines Schwanzes an den Eingang zu meiner nassen, sehnsüchtigen Mitte. Ich glitt langsam auf ihn und verließ mich auf das medizinische Personal der Kolonie, dem ich einen Besuch abgestattet hatte, damit sie sich um Sorgen wie Schwangerschaft und Ähnliches kümmern würden. Im Weltall brauchte man keine Kondome. Ich war völlig frei, zu... genießen. Gott, und so, wie er mich weit dehnte, wie er mich so vollständig ausfüllte, würde ich genau das auch tun.

Ich rückte mich zurecht, setzte meine Beine ein, um an seinem harten Schaft auf und ab zu gleiten und nahm mit jedem Mal ein wenig mehr von ihm in mir auf. Er ächzte, seine Hände zu Fäusten geballt auf den Armlehnen, genau da, wo ich sie platziert hatte.

Schließlich war er vollständig in mir

und ich saß erneut auf seinen kräftigen Oberschenkeln. Ich hatte jeden langen Zentimeter von ihm aufgenommen.

Ich krümmte meine Finger. „Sam, komm hierher." Meine Worte waren mit Dringlichkeit gesprochen, atemlos, und ich war erleichtert, als er endlich vor mir stand. Nahe genug, dass ich ihn erreichen und beide Hände um seinen Schwanz legen konnte, eine an der Wurzel, die andere um die Spitze. Ich rückte meine Hüften zurecht und hörte Nik hinter mir stöhnen. „Dieser Schwanz gehört nun mir, Sam."

Ich blickte durch meine Wimpern hindurch zu ihm hoch. Er wirkte verblüfft über meine Worte, aber das war mir inzwischen mehr als egal. Ich würde ihn um seinen verdammten Verstand bringen, während ich Niks Schwanz ritt. Ich würde dafür sorgen, dass beide nach mehr lechzten. Und mehr. Und mehr. Ich hatte zwei Tage. Ich wollte jeden Augenblick, den ich finden konnte, mit ihnen im Bett verbringen. Ich hatte einen Haufen Liebesspiel in einem kurzen Zeitraum unterzubringen und ich hatte die perfekten männlichen Wesen dafür gefunden.

Nicht einen, sondern gleich zwei Aliens, um mich zu befriedigen.

Sam trat näher, nahe genug, dass ich mich aufrichten und ihn zur Gänze in den Mund nehmen konnte, wobei ich meine Hände auf seinen Oberschenkeln abstützte.

Mit einem weiteren Blick nach oben schluckte ich ihn. Saugte. Leckte. Hörte nicht auf, bis ich spürte, wie seine Eier anschwollen und sein Schwanz sich ein kleines bisschen mehr anspannte.

Dann hörte ich auf. Bewegte mich auf Nik. Rollte mit den Hüften, während ich mich hob und senkte, mich ohne Rhythmus auf ihm fickte, wobei mein Kitzler pochte und meine Pussy sich zusammenzog. Ich fasste ihnen beiden zwischen die Beine und umfasste ihre Eier, dann streichelte ich sie.

„Bei allen Göttern, Weib." Sam warf

seinen Kopf in den Nacken, aber er rührte sich nicht, stellte keine einzige Forderung.

Ich vergönnte ihnen eine Verschnaufpause, nahm Niks Hände von den Armlehnen und platzierte sie auf meinen Brüsten. „Berühr mich."

Er brauchte keine weitere Ermutigung. Eifrig strich er mit seinen Daumen über meine harten Nippeln. Drückte sie. Zupfte an ihnen. Lernte, was mir gefiel. Was mich zum Aufkeuchen brachte. Und zum Stöhnen.

Ich nahm Sam wieder in den Mund und Niks Hand wanderte zwischen meine weit gespreizten Beine, über meinen Kitzler. Wo er mit mir spielte. Mich streichelte, während ich mich auf ihm bewegte.

Es war zu gut. Zu viel. Das Gefühl der beiden um mich herum. Die Sauggeräusche. Die Gerüche. Das Gefühl, die beiden so tief in mir zu haben. Ich konnte mich nicht zurückhalten. Ich versuchte es erst gar nicht.

Mein Körper ging los wie ein Feuer-
werk und die Zuckungen überkamen
mich, während meine beiden Liebhaber
tief in meinem Körper versanken. So tief,
wie ich sie nur aufnehmen konnte. Ich
wollte sie *in* mir. Vollständig. Wo, wie
mir langsam klar wurde, ich sie nie
wieder aus mir herausbekommen
würde.

Nik bewegte sich unter mir, stieß
hoch in meine enge Pussy, drückte
meine Beine weiter auseinander, indem
er vorwärts rutschte und seine Knie
weiter spreizte.

Ich war offen und verletzlich, seine
Hitze an meinem Rücken, die von Sam
vor mir. Ich war zwischen ihnen, Niks
Schwanz in meiner Pussy, Sams in
meinem Mund. Nik richtete sich auf,
und seine Brust drückte sich an meinen
Rücken wie eine eiserne Wand, während
seine Hände meinen Körper bearbeite-
ten, eine an meinem Kitzler und die andere sanft an meiner Kehle. Er übte
keinen Druck aus, aber die Berührung

alleine ließ meine Pussy krampfen wie ein Schraubstock und er bemerkte meine Reaktion. Meine perverse, Orgasmen-auslösende Reaktion.

Es *gefiel* mir, ausgeliefert zu sein. Offen. Entblößt. Wissend, dass er die wahre Kontrolle hatte.

Sam verstand sein Stichwort und seine Hände vergruben sich in meinem Haar, zerrten gerade fest genug daran, um mich aufkeuchen zu lassen. Ich konnte mich nicht bewegen, konnte nicht entkommen, während die beiden mich härter fickten. Schneller.

Ich schrie um Sams Schwanz herum, als ich erneut kam und sie folgten mir beide über die Schwelle. Ihr heißer Samen fühlte sich an, als würde ich in eine neue Welt gesalbt werden. Eine fremde, außerirdische Welt.

Ein verdammt scharfes Universum voll Lust und Feuer und Begehren.

Ich hatte in meiner Eitelkeit vorgehabt, dass diese Nacht sie beide im Schlaf verfolgten sollte, aber als Nik

mich zu einem dritten Orgasmus streichelte, während sein immer noch steifer
Schwanz mich weit dehnte, und ich Sam
auf meiner Zunge schmeckte, da erkannte ich, dass dieser Scherz wohl auf
meine Kosten ging.

Die einzige Person, der es nicht ge-
lingen würde, diese Nacht zu vergessen,
war ich. Und als Sam sich bückte und
mich von Niks erschöpftem Schwanz
herunterhob, um mich zum Bett zu tragen, da wusste ich: Wir fingen gerade
erst an.

4

S ambor, Transportstation 345, Prillon Prime

„Es GEFÄLLT MIR NICHT, SIE ZURÜCKZULASSEN", brummte ich. Zum wiederholten Male. „Besonders nicht nach letzter Nacht."

Ich war mit verschränkten Armen an die Wand gelehnt. Der Raum war voller Leute. Da war ein Kampftrupp, voll bewaffnet und bereit, in eine Kampfgruppe zu transportieren. Andere, wie wir, warteten auf einen Transport zu ihrer nächsten Mission oder Destination. Ich steckte zwar wieder in Rüstung, einsatzbereit, reiste aber keinem Kampf gegen die Hive entgegen. Ich war in Niklas' Gefolge und heute war es unsere Aufgabe, Prime Nials Sekundär Ander zu begleiten – zu einem weiteren Sicherheits-Briefing, das von einem meiner weniger geliebten Prillon-Krieger, Doktor Helion, abgehalten wurde.

Niklas trug seine übliche Botschafter-Bekleidung. Es war keine offizielle Uniform, besonders keine der Koalition, aber seine schwarze Hose und die marineblaue Tunika signalisierten, dass er ein Prillone von hohem Rang war. Ein Repräsentant eines Planeten. Seine Rolle war nicht Teil eines Kampfeinsatzes. Er bekämpfte die Hive nicht persönlich, aber er war daran beteiligt, die Waffen und Kämpfer von anderen Welten in die richtige Richtung zu lenken, in interplanetare Auseinandersetzungen einzugreifen und als Augen und Ohren von Prime Nial zu dienen, draußen im politischen Alptraum, der dazu beitragen sollte, die gesamte Interstellare Koalition der Planeten zusammenzuhalten. Ein Riesenhaufen Egos. Ein Riesenhaufen von Königen und Königinnen, Lords und Ladys, Kommandanten und Captains, Händlern und Schmugglern. Und jeder spielte seine Rolle. Und jeder hatte seinen Preis.

Ich fand die Aufgabe, die er hatte, furchtbar. Meine Rolle war um vieles einfacher. Ich brauchte ihn nur zu beschützen, wenn notwendig für ihn zu töten. Ich brauchte nicht mit dem Feind zu verhandeln. Ich brauchte niemanden zufriedenzustellen. Niklas war das lächelnde Gesicht, mit dem Prime Nial den Anführern anderer Planeten begegnete. Und unter dem Befehl von Niklas – oder Prime Nial – war ich das Messer, das sie an die Kehle gesetzt bekamen.

„Mir gefällt es auch nicht", entgegnete Niklas in einem Ton, der so gar nicht diplomatisch war.

Das Surren der Transportplattform

wurde gefolgt von einem statischen Knistern, als ein weiterer Transport abgeschlossen war.

Natürlich waren unsere Eier entleert worden und unsere Bedürfnisse befriedigt, und zwar mehrere Male über mehrere Stunden hinweg. Eigentlich sollten wir entspannt sein und lächeln. Wir *sollten* uns auf unsere Rückkehr aus der IC-Kommandozentrale heute Abend freuen, wo wir Lucy wiedersehen würden. Sie berühren. Sie dazu bringen, sich zu winden und zu flehen und vor Lust zu schreien.

Stattdessen hatten wir eine nackte, schlafende Frau in dem warmen Bett, das wir mit ihr geteilt hatten, zurücklassen müssen – ohne einen Kragen um ihren Hals, der unseren Anspruch auf sie verlautbart hätte.

„Die Pflicht ruft und nicht einmal eine willige Frau kann uns davon abhalten", fügte er hinzu, während er zusah, wie eine Gruppe von Palastbeamten die

Stufen hochstieg, um als nächste abzureisen.

„Du bist zu sehr auf deine Rolle als Botschafter konzentriert. Selbst der Prime nimmt sich manchmal von seinen Pflichten frei, um sich um andere Dinge zu kümmern, wie etwa um seine Gefährtin."

„Ich hatte bisher keinen Grund, mich auf etwas anderes zu konzentrieren. Ich bin zwar nicht wild auf Helion, aber er ist pflichtbewusst an der Sache, so wie auch ich."

Ich starrte ihn mit großen Augen an. „Du möchtest dich mit diesem Arschloch vergleichen? Ich glaube, der schläft sogar in der Kommandozentrale."

Ich hatte noch nie jemanden getroffen, der den Leiter des IC leiden konnte. Er war, wie ich gesagt hatte, ein Arschloch.

„Ich habe letzte Nacht nicht in der Kommandozentrale geschlafen." Anscheinend war es Niklas ein Bedürfnis, mich daran zu erinnern, wo wir die letzten Stunden verbracht hatten. Als könnte ich das je vergessen. Ich konnte Lucy immer noch auf meiner Zunge schmecken, sie auf meiner Haut riechen.

Ich dachte an die befriedigte, nackte Frau und das warme Bett, das wir zurückgelassen hatten, um hier zu stehen und zu zetern. „Nur, weil sie sich an dich rangemacht hat. An uns." Ich hielt inne, voller Sorge. „Lucy ist nicht unsere Gefährtin", erinnerte ich ihn. „Wenn wir Halsbänder trügen, dann würde jeder wissen, dass sie zu uns gehört. Was, wenn sie den Planeten verlässt, während wir diesem Treffen mit Doktor Helion beiwohnen?"

Niklas runzelte die Stirn. „Ja, daran habe ich auch schon gedacht. Andererseits sind noch mehrere Veranstaltungen zur Feier des Tags der Geburt geplant. Lucy wird nicht auf die Kolonie zurückkehren, bevor die Feierlichkeiten der Königin vorüber sind. Sie hat bereits gefordert, dass wir sie auf den königlichen Ball begleiten."

„Das stimmt. Und sie muss der Königin diese Freude bereiten", antwortete ich, ein wenig beschwichtigt, aber nicht zur Gänze. Die Festlichkeiten sollten noch zwei weitere Tage lang andauern. Doch das ließ uns nicht viel Zeit, sie zu umwerben. Selbst, wenn sie so lange blieb.

Niklas zog eine Augenbraue hoch. „Die Königin ist mit ihr befreundet. Sie wird nicht frühzeitig abreisen. Lucy ist loyal. Das wissen wir von ihrer Hingabe zu dem Atlanen Wulf und seiner Familie."

„Loyal. Der Familie eines Kampflords zugehörig. Und sie schreit im Bett", fügte ich hinzu, aber leise, sodass nur Niklas mich hören konnte. „Wie ihre Pussy sich zusammenzieht, wenn sie kommt..." Ich sprach den Satz nicht zu Ende, denn ich musste meinen Schwanz in meiner Hose zurechtrücken. Wenn ich noch mehr sagte, würde ich am Ende noch in meiner Hose kommen. So sehr erregte mich diese Erdenfrau. „Was,

wenn sie einen anderen Krieger kennen-
lernt, während wir weg sind? Sich einen
anderen wählt für diesen Erdenbrauch,
den sie ausübt, diesen One-Night-Stand?
Unter den Palastwächtern gibt es viele
ehrenhafte Krieger."

Niklas knurrte, seine Hände ballten
sich zu Fäusten und seine Augen wurden
finster und bedrohlich, als zöge er in die
Schlacht. Genau die Reaktion, auf die
ich gehofft hatte.

„Wir sind uns einig?", fragte ich. „Wir
werden sie behalten?"

„Sie gehört uns."

Da lächelte ich, erleichtert. „Warum
stehen wir dann noch im Transportraum
auf dem Weg zu Doktor Helion? Ich
kann mir lustvollere Arten vorstellen,
diese Zeit zu verbringen."

„Die Pflicht ruft."

Ich hasste diese Antwort. Ich konnte
nur hoffen, dass er jetzt, wo er zugestimmt hatte, dass wir Lucy zu unserem
Eigentum machen würden, bald damit

anfangen würde, nach weniger Arbeit und mehr Vergnügen zu streben.

„Du wünscht, sie zu deiner Gefährtin zu machen", sagte ich, um mich zu versichern, dass ich ihn richtig verstanden hatte, auch wenn ein Diplomat sich niemals missverständlich ausdrückte. „Trotz der Tatsache, dass wir sie nicht besonders gut kennen? Dass dutzende andere Frauen sich dafür anstellen und betteln würden, deine Gefährtin zu werden, Lord Niklas? Favorit von Prime Nial. Bester Freund des gefürchtetsten prillonischen Auftragskillers im Universum?"

Niklas blickte mich an, als hätte ich den Verstand verloren. Vielleicht hatte ich das auch. Lucy hatte mich völlig vereinnahmt, jeden Gedanken, jeden Augenblick. „Der gefürchtetste? Was ist mit Ander?"

Der Gigant, von dem er sprach, hatte gerade erst den Transportraum betreten, also sprach ich laut genug, damit er es auch hören konnte. „Lord Ander? Vor dem hat doch niemand Angst. Er ist viel zu hübsch dafür."

Der mit Narben übersäte Krieger blickte mich mürrisch an und klopfte mir auf den Rücken. Mit Nachdruck. „Ich bin eine Schönheit. Das stimmt. Meine Gefährtin sagt mir das jedes Mal, wenn sie auf meinem Schwanz ihre Lust herausschreit."

Die Gefährtin, von der er sprach, war unsere Königin, also hielt ich es für weise, ihm einfach zuzustimmen. „Ganz genau." Ich wandte mich wieder an Niklas. „Er ist zu hübsch. Niemand hat Angst vor ihm. Ich hingegen verbreite überall Angst und Schrecken."

Niklas musste darüber tatsächlich lächeln – seit Monaten sah ich das das erste Mal auf seinem viel zu ernsthaften Gesicht. „Sehe ich auch so. Du bist furchterregend. Was Lucy betrifft, wir kennen sie gut genug. Sie wird uns gehören."

Ich seufzte, erleichtert über seine Worte. Sie hatte sich uns völlig unerwartet angeboten. Danach waren wir zu beschäftigt gewesen, um darüber zu reden, eine Strategie dafür zu entwickeln, wie wir mit ihr fortfahren wollten. „Wie lautet dein Plan?"

Ein Prillone wie Niklas hatte immer einen Plan, besonders nach einer Nacht wie der, die wir gerade verbracht hatten. Wo er der lieblichen Lucy gestattet hatte, über uns zu bestimmen. Das sah dem dominanten Niklas so gar nicht ähnlich, aber es schien, als wäre er von ihrer Kühnheit... amüsiert gewesen. Meinen Schwanz hatte es jedenfalls hart genug gemacht. Mehr als einmal.

„Sie hatte letzte Nacht ihren Spaß. Jetzt bin ich an der Reihe, das Ruder zu übernehmen. Ihr zu verstehen zu geben, wie es sein wird, von Prillon-Kriegern in Besitz genommen zu werden."

Das Bild von Lucy, mit Haaren wie ein Sonnenuntergang über den Wüsten Trions, die sich Niklas hingab, gefickt von uns beiden gemeinsam, mit Halsbändern, ließ mich vor Stolz aufblühen.

Die Vorstellung, wie unsere Schwänze tief in ihrer Pussy und ihrem Hintern versanken, während unsere Halsbänder die Farbe wechselten, von schwarz zu dunkelblau, während wir sie offiziell in Besitz nahmen, brachte mein Herz zum Rasen. Gab mir... Hoffnung. Eine Gefährtin zu finden, das hatte ich mir von einer Feier im Palast nicht erwartet.

Niemals würde ich eine solche Veranstaltung wieder fürchten.

„Du wirst die Kragen holen, bevor wir in den Palast zurückkehren?", fragte ich. Er musste sie erst von seiner Residenz holen. Auch er hatte nicht erwartet, im Palast eine Gefährtin zu finden.

Lord Ander reihte sich vor uns ein, um die Plattform zu betreten. Er wandte sich zu uns herum. „Seid ihr beiden fertig damit, nach dieser Frau zu schmachten? Uns steht Arbeit bevor."

Ich überprüfte die Ionenpistole an meinem Schenkelhalfter und folgte Niklas auf die Transportplattform. Als die persönliche Leibgarde von Ander uns nicht folgte, blickte ich fragend zu ihm. „Keine Leibwache?"

Ander schüttelte den Kopf. „Nein. Doktor Helion hat eine ganze Schwadron von Wachen versammelt."

„Wofür?", fragte Niklas.

„Letzte Nacht gab es einen Vorfall mit der Nexus-Einheit."

„Einen Vorfall? Wurde deswegen für morgen eine neue Besprechung auf meinen Terminplan gesetzt?"

„Ja." Ander gab uns keine weiteren Details, also wartete ich darauf, dass Niklas dem Mann auf seine clevere Weise weitere Antworten entlocken würde.

„Die Besprechung ist auf meinem Terminplan erschienen, aber es war kein Ort eingetragen."

„Helion und Nial haben vereinbart, den Treffpunkt nicht in die offiziellen Register einzutragen."

Scheiße. Nur Ander konnte es sich erlauben, den Prime beim Vornamen zu nennen. Also, Ander und die Königin. Die konnte Prime Nial bestimmt nennen, wie sie wollte. So wie Lucy auch mich nennen konnte...

Etwas in Anders Tonfall erweckte Niklas' Aufmerksamkeit. „Was? Warum? Wohin genau reisen wir morgen?"

Ander überprüfte seine eigene Waffe und ich bemerkte, dass er Rüstung trug und nicht die übliche Tunika, die er tragen würde, wenn es sich hierbei um ein politisches Treffen handelte. „Wir transportieren in den Sektor 437."

Scheiße. „Den Sektor der Kampfgruppe Karter?" In jenem Gebiet wimmelte es nur so vor Hive-Aktivität. „Ich brauche mehr Waffen."

Das brachte Ander zum Lachen. „Nein. Brauchst du nicht. Wir treffen uns zu einer privaten Besprechung auf einem Frachtschiff in Commander Karters Sektor."

„Mit wem?" Niklas mochte keine Überraschungen. Er war es gewohnt, über alles und jeden Bescheid zu wissen.

„Einer Menschenfrau und ihrem Gefährten."

Lord Ander zog noch drei weitere Ionenblaster hervor und überprüfte ihre Magazine, bevor er sie wieder wegsteckte und sich die ellenlange Klinge zurechtrückte, die an seine rechte Seite geschnallt war. Ich fragte erst gar nicht. Das stand mir nicht zu. Und Niklas war anscheinend von der Erwähnung eines geheimen Treffens mit einer Menschenfrau zu abgelenkt, um an meiner Stelle zu fragen. Aber Anders Sorge verschärfte die meine. Was genau war dieser *Vorfall*, den die Nexus-Einheit verursacht hatte?

Von einem Herzschlag zum nächsten hatte ich die Frage aus meinem Kopf verbannt. Es war mir egal. Mir war im Moment nur eine Sache wichtig. Eine. Und die hatte rotes Haar, grüne Augen und schlief gerne zwischen uns.

Die Transportplattform surrte mit steigender Energie und ich lehnte mich zu Niklas hinüber, damit er mich über dem Lärm hören konnte.

Mich interessierte viel mehr, was

passieren würde, wenn wir von dieser Mission zurückkehrten, als dass es mich interessierte, Ander nach Antworten auszuquetschen, die er uns augenscheinlich nicht zu geben beabsichtigte. Die Vorstellung, Lucy in unsere Zukunftspläne einzubeziehen, brachte mein Herz zum Rasen und machte meinen Schwanz hart. „Jetzt ist nicht der Moment für Missverständnisse, Niklas. Wenn du Lucy nicht willst, werde ich sie in Besitz nehmen und jemand anderen bitten, mein Sekundär zu werden. Sie ist perfekt. Ich werde sie nicht aufgeben."

Sie war wagemutig, leidenschaftlich, zärtlich—sie hatte sich im Schlaf stundenlang an mich geschmiegt und mich festgehalten—loyal ihren Freunden gegenüber, genoss den Respekt eines der berühmtesten Kampflords des Krieges, sowie das Vertrauen von Gouverneur Maxim von der Kolonie, war außerdem noch wunderschön, und alleine.

Genau wie wir.

„Es gibt keinen Grund, mir zu drohen, Sambor. Sie gehört uns. Heute Abend wird sie von unseren Absichten erfahren."

„Heute Abend werden wir in der IC-Kommandozentrale sein und jeder Prillon-Krieger im Palast wird unserer Gefährtin nachstellen."

„Nein. Ich habe veranlasst, dass wir frühzeitig zurückkehren. Wir werden unsere Gefährtin nicht unbeansprucht lassen."

„Ausgezeichnet." Ich nickte, nicht zum ersten Mal erleichtert darüber, dass er wie üblich zehn Schritte im Voraus dachte. „Heute Abend also." Ich freute mich darüber, dass ich nun für mehr kämpfte als nur für die Koalition, dass ich mehr beschützte als nur Niklas. Ich kämpfte um eine Gefährtin. Ihr Name war Lucy. Sie gehörte uns. Sie wusste es noch nicht, aber ich freute mich schon darauf, ihr Gesicht zu sehen, wenn sie es erfuhr.

Am besten, während mein Schwanz tief in ihr steckte und sie ebenso sehr

aus Lust aufkeuchte wie aus Überraschung.

Und in diesem Moment wurden wir
vom Surren des Transporters und dem
elektrischen Zischen von Prillon Prime
gesogen und in die Kommandozentrale
des IC übermittelt, um uns dort mit
einer unkooperativen Nexus-Einheit
herumzuschlagen. Ich hasste diesen Ort.
Hasste den Krieg und das Töten, wenn
ich ehrlich war. Aber als ich noch ein
kleines Kind war, hatte mir mein Vater
erklärt, dass ein Krieger sich sein Leben
nicht aussuchte, sondern das Krieger-
leben ihn auserwählt hatte. Ich hatte
seine Worte nie angezweifelt, aber heute
war der erste Tag, an dem ich mit einem
Lächeln auf dem Gesicht auf diesem
Felsbrocken ankam.

Scheiß auf Doktor Helion, die Vizeadmiralin und ihren Elitejäger-Ge-
fährten Quinn, die uns erwarteten.
Scheiß auf die Nexus-Einheit der Hive,
die irgendwo in den Felsen unter unseren Füßen in einer Zelle versauerte.

Ich wollte mir über die Nexus-Einheit keine Gedanken machen, oder über Doktor Helion, oder was auch immer zum Henker wir tun würden, wenn wir die Ausbreitung der Hive in den Raum der Koalition nicht eindämmen konnten. All diese Analysen und die Sorge? Das war Niklas' Aufgabe. Ich würde ihm den Rücken freihalten und an die warme, geschmeidige Frau denken, die nun gesättigt und mit unserem Samen gefüllt schlief. Ihr Körper wusste, dass sie uns gehörte. Und nun war ihr Verstand an der Reihe, sich mit dieser Tatsache anzufreunden.

Das nächste Mal, wenn wir unsere Frau fickten, würden wir jede ihrer Emotionen kennen, jedes Begehren, jeden Wunsch und jede Furcht, die ihr durch den Kopf gingen. Die Halsbänder würden uns drei zu einem Ganzen vereinen und jedem Mann auf Prillon klar zeigen, dass sie unter unserem Schutz stand. Unserer Fürsorge.

Dass wir sie für uns beansprucht

hatten und für das Recht, sie zu umwerben, töten würden.

Wenn unser Kragen erst um ihren Hals lag, konnten wir damit beginnen, ihr Herz zu erobern. Ihr Vertrauen. Ich wollte mehr in ihren Augen sehen als nur Lust. Ich wollte... mehr. Ich wollte es so dringend, dass ich es nicht wagte, das Wort auch nur zu denken.

Bei allen Göttern, die Halsbänder waren der nächste Schritt.

5

*L*ucy, *Palast, Prillon Prime*

„ICH WÜRDE JA SAGEN, rück mit Details raus, aber nach deinem Gesichtsausdruck zu schließen war es gut", sagte Gabriella. Sie war nicht mit uns zusammen transportiert, sondern nachgekommen. Sie hatte den kleinen Jori an ihre Schulter gelehnt und klopfte ihm sanft auf den Rücken, auch wenn er schon seit zehn Minuten schlief.

„Ein Gesichtsausdruck reicht mir nicht", entgegnete Caroline und deutete erst auf Lindsey, dann Rachel. Sie stach mit einer seltsamen dreizackigen Gabel in eine der roten prillonischen Früchte, die in der Mitte eines edlen Palast-Tellers aufgetürmt waren. „Sie muss mit Details rausrücken. Ich will Details. Jedes. Einzelne. Detail."

Ich hielt mir die Kaffeetasse an den Mund, um mein Lächeln zu verbergen. Ja, die Kerle hatten mir ein Lächeln aufs Gesicht gezaubert, aber meine Freundinnen von der Kolonie amüsierten mich. Besonders, da ich die Einzige war, die vergangene Nacht flachgelegt worden war. Mehr als nur eine meiner Freundinnen war mit ihren Kindern angereist. Und es gab zwar Babysitter, die während der Party gestern Nacht in einer nahe gelegenen Kinderstube auf die Kinder aufgepasst hatten, aber nachdem die Party vorbei war, waren sie alle wieder zu Eltern geworden. Wie die Kutsche, die sich um Mitternacht in einen Kürbis zurückverwandelte, wurden sie wieder zu Eltern von Babys und Kleinkindern. Ich war mir zwar sicher, dass sie immer noch Sex hatten, und zwar reichlich, aber ich musste annehmen, dass es wohl immer schnell, leise und mit einem Ohr in Richtung Kinder passierte. Nicht annähernd das Gleiche, was mir gestern Nacht vergönnt gewesen war.

Oh, sie alle hatten diese Art wildes, sich Zeit nehmendes, die ganze Nacht andauerndes Fick-Fest erlebt, bevor sie wilde kleine Kinder in ihrem Leben gehabt hatten, aber nun war ich an der Reihe.

Ich.

Meine Pussy grinste geradezu vor Vergnügen.

Und war ganz schön beansprucht worden, denn eine Nacht mit Prillonen bedeutete zwei Schwänze. Zwei unersättliche Liebhaber. Liebhaber mit einer Ausdauer, bei der ich mein halbherziges Fitness-Regime überdenken musste.

Ich blinzelte und erkannte, dass mich alle anstarrten. Wartend. Ich setzte meine Tasse ab. „Tut mir leid. Ich bin wohl eine Sekunde lang abgedriftet."

„Das kann ich mir vorstellen. Man sieht, dass dir die beiden gründlich das Gehirn rausgefickt haben", fügte Rachel hinzu und wackelte mit den Augenbrauen. Sie trank einen Schluck Saft aus einer hohen Kristallflöte, dann wischte sie sich mit einer Stoffserviette den Mund ab. Sie bemühte sich, das konnte ich deutlich sehen, aber das prustende Lachen folgte sofort. Sie hatte selbst zwei Prillonen-Krieger als Gefährten. Ich war mir sicher, dass alle anwesenden Damen, die Prillonen-Gefährten hatten, genau wussten, was für eine Art Liebesabenteuer ich letzte Nacht erlebt hatte. Und zwar die ganze Nacht lang.

Ich seufzte und dachte an all die Arten, auf die Sam und Nik mich rangenommen hatten.

„Oh ja", antwortete ich.

Rachel quietschte auf, dann unterdrückte sie es mit einem Blick auf Jori. Caroline grinste und Lindsey klatschte leise in die Hände wie eine Cheerleaderin.

Ein Bediensteter brachte eine weitere Kanne Kaffee, stellte sie in die Mitte des runden Tisches zwischen uns und verschwand dann wieder ebenso lautlos, wie er erschienen war. Wir saßen im Freien auf einer Terrasse in mehreren Stockwerken Höhe. Eine Laube voller Reben mit üppigen Blättern und Lavendelblüten schirmte uns von der Sonne ab. Es war ein warmer Tag, und die Leggings und das T-Shirt, das ich trug—mit Dank an die S-Gen-Maschine für die bequeme legere Kleidung, die sie im Programm hatte—waren zwar nicht ganz passend für ein Frühstück im Palast, aber die Mädels hatten mich erst aus dem Bett gezerrt und dann aus dem Zimmer und zu mehr hatte es in der Zeit nicht gereicht. Kein Make-Up, das Haar war hastig zu einem Knoten hochgebunden worden. Wir befanden uns im

Gästequartier, das eine eigene Terrasse
mit Speisesaal hatte. Die Damen von der
Kolonie hatten sich hier versammelt, anstatt zum Brunch in den formellen Speisesaal zu gehen. Da Rachel und Jessica
sich so nahestanden, hatte Jessica sich zu
uns gesellt.

Ich war ein wenig von ihr eingeschüchtert gewesen, bis sie genau wie
alle anderen kicherte und mir mit den
Augenbrauen entgegen wackelte. Dann
erst erinnerte ich mich an ihre wich-
tigste Eigenschaft: auch sie hatte zwei
Prillonen-Krieger als Gefährten. Der
Kragen um ihren Hals, wie auch um Rachel und Kristins Hälse, erinnerte mich
daran, dass sie alle feste Gefährten
hatten.

Was würde ich mit zwei Männern
wie Nik und Sam anfangen, wenn ich sie
jeden Tag für mich hätte? Jede Nacht?

Guter Gott. Ich würde nie wieder ge-
radeaus laufen können.

Mit zitternder Hand setzte ich die
Tasse auf den Tisch und versuchte, mich

zu fassen. Ich wusste, dass mein für Rothaarige typischer Teint schon ebenso viel verriet, wenn nicht mehr, wie mein schuldbewusster Gesichtsausdruck. Ich dachte an die Dinge, die ich letzte Nacht gesagt hatte. Um die ich sie gebeten hatte, dass sie sie mit mir anstellten.

Himmel. Ich war völlig außer Kontrolle gewesen.

Ich lehnte mich zurück und bemühte mich, viel unschuldiger dreinzuschauen, als ich mich fühlte. Plötzlich zögerte ich, zu sehr aus dem Nähkästchen zu plaudern. Die gemeinsamen Augenblicke mit Nik und Sam fühlten sich... irgendwie besonders an. Ich wusste, dass sie das nicht waren. Wusste, dass ich mir nur etwas vormachte. Aber selbst, wenn es nichts Besonderes war, nicht die wahre Liebe, nicht das Ergebnis einer Zuordnung, war es doch persönlich. Sehr, sehr persönlich.

Wir saßen an einem runden Tisch. Die Stühle hatten edle Sitzkissen in der dunkelroten Farbe der Familie Deston.

Genau der gleiche Farbton wie der Kragen von Königin Jessica. Der gesamte Palast, wie auch dieser Raum, würde auf der Erde in irgendeinem noblen Innendesign-Magazin abgebildet sein. Im Vergleich dazu sah mein Ein-Zimmer-Quartier auf der Kolonie öde und düster aus. Es fühlte sich an, als wären wir in einem Nobelhotel mit Statuen und Blumenschmuck und reich verzierten Wänden und Decken. Die Tische waren mit etwas Ähnlichem wie Marmor-Intarsien dekoriert, in geometrischen Mustern, die wohl monatelange Arbeit gewesen waren. Ich hatte das Gefühl, dass sie handgefertigt waren, nicht aus einer S-Gen-Maschine beordert. Üppige Vorhänge und Teppiche, alle mit einem Hauch des königlichen Rot, statteten jeden Raum aus, der Komfort-Zwecken diente. Und die anderen Räume? Die weitläufigen Gänge? Der Ballsaal, in dem wir letzten Abend gefeiert hatten? Die Fußböden dort glänzten wie Marmor, in einer Regenbogenpalette von

Farben, von der ich annahm, dass sie alle großen Familien auf Prillon Prime repräsentieren sollten. Rot. Grün. Mehrere Blautöne. Bronze. Kupfer. Gold.

Ich wandelte durch ein Traumland, umgeben von Wächtern. Gefährtinnen von Gouverneuren. Königinnen und Königen – wie etwa die Herrscher von Viken, die uns im Korridor begegnet waren.

Und mittendrin meine Wenigkeit. Und irgendwie war mein Sexleben zum wichtigsten Thema geworden.

„Sollten wir uns nicht über königliche Angelegenheiten unterhalten? Oder den Krieg? Oder sonst irgendetwas Wichtiges?", fragte ich.

Königin Jessica grinste. „Nicht an meinem Geburtstag."

Rachel schüttelte den Kopf. „Dein Geburtstag war gestern."

Jessica schnaubte. „Mein Geburtstag dauert dieses Jahr vier Tage lang. Wenn du mir widersprichst, lasse ich dich von Nial und Ander in den Kerker werfen."

„Hast du wirklich einen Kerker?“,
fragte Rachel mit großen Augen.

Jessica guckte verwirrt drein. „Ehrlich gesagt weiß ich das gar nicht. Vielleicht sollten wir nach dem Brunch
gemeinsam auf Erkundungstour gehen
und es herausfinden. Das würde die
Männer alle glücklich stimmen.“

Eine Runde nervöses Gelächter
folgte ihrer Ankündigung, aber für mich
war das keine anregende Aussicht. Für
mich war mein Aufenthalt hier schon
verrückt genug. Ich brauchte nicht noch
auf die Suche nach mehr Schwierigkeiten gehen als die, in denen ich jetzt
schon steckte. Und mein Herz sagte mir,
dass das eine ganze Menge war.

Rachel bemerkte natürlich meine
fehlende Begeisterung. „In Ordnung,
Mädel. Rück raus. Du bist gestern Nacht
flachgelegt worden. Das ist uns inzwischen allen klar. Wo liegt also das Problem? Warum siehst du nicht glücklich
darüber aus?“

Ich zupfte an einem Stück Gebäck

herum, eine Art Croissant, aber mit Früchten gefüllt. „Ich hatte erwartet... dominiert zu werden. Herumkommandiert. Rangenommen."

Bei meinen Worten runzelten sie alle nur die Stirn. „Ich kenne die beiden nicht, aber sie schienen mir wie völlig normale, mächtige und herrische Prillonen", sagte Lindsey.

Caroline nickte.

„Ich habe Niklas einmal getroffen. Er kam zu einem Treffen mit Maxim und den anderen Gouverneuren des Planeten auf die Kolonie." Rachel winkte es ab. „Das war lange, bevor du aufgetaucht bist. Er wirkte nett. Diplomatisch. Gutaussehend, aber das sind diese Aliens doch anscheinend alle."

Dem stimmten alle zu. Ich konnte das nicht abstreiten, aber mir schienen Nik und Sam von allen die mit dem besten Aussehen. Und meiner Pussy schien es ebenso. Ich rückte in meinem Stuhl herum.

„Es war eine vergnügliche Nacht. Ich

werde sie nie vergessen. Ich habe auf alle Fälle das bekommen, wofür ich hergekommen bin."

Die Mädels starrten mich an, dann kicherten sie.

Oh ja, ich hatte auf alle Fälle bekommen, wofür ich hergekommen war. Die doppelte Portion Schwänze, Hände und Münder. Es musste eine mathematische Formel geben für diese Zahlen, die in Verbindung stand mit der Anzahl von Orgasmen, die ich gehabt hatte.

„Aber sie sind fort. Ich meine, ich habe sehr deutlich gemacht, dass dieses... Abenteuer nur so lange anhalten würde, wie ich hier bin. Aber ich hatte nicht damit gerechnet, alleine aufzuwachen, wisst ihr? Ich schätze, als ich sagte, es wäre nur ein One-Night-Stand, haben sie mich beim Wort genommen."

„Sie wollten dich nicht verlassen. Sie mussten dich verlassen." Als Jessica das sagte, wandten wir uns alle zu ihr um. Sie lehnte sich in ihrem Stuhl zurück und verschränkte die Arme. „Wir haben zwar gerade gesagt, dass wir nicht über den Krieg reden wollen, aber unsere Gefährten hören nie zu kämpfen auf, oder?"

Rachel seufzte. „Nein, tun sie nicht."

„Der Knutschfleck an deinem Hals verrät mir, dass sie zumindest letzte Nacht nicht gegen die Hive gekämpft haben", sagte Rachel und deutete mit ihrer Gabel an den Hals der Königin.

Jessica lief rot an und strich sich gedankenverloren mit den Fingern über den dunkelroten Kragen. „Also gut, ich habe mich heute Morgen wohl ein wenig von Nial ablenken lassen, nachdem Ander fort war." Sie blickte zu mir. „Also... Botschafter Niklas und Captain Sambor. Ich habe gesehen, dass du letzte Nacht die Party mit ihnen gemeinsam verlassen hast."

Jetzt war ich an der Reihe, feuerrot anzulaufen. „Es tut mir so leid. Ich weiß, es war deine Party und alles, aber..."

Sie legte mir die Hand aufs Handgelenk. „Mädel, die beiden sind in Ordnung. Richtige Leckerbissen. Ich kann dir nicht vorwerfen, dass du dich mit ihnen verzogen hast. So, wie die beiden getanzt haben, war das auch gutes Timing. Die hätten sich sonst noch wehgetan und was wäre dann gewesen?"

„Keine Schwänze für Lucy, die Glückliche", sang Caroline.

Ich schlug mir die Hände vors Gesicht.

„Ich wollte dich nicht in Verlegenheit bringen", sagte Jessica sanft. „Lindsey hat mir dein Vorhaben erklärt."

Ich funkelte Lindsey böse an. Im Ernst? Sie hatte der verdammten Königin von Prillon Prime auf die Nase gebunden, dass ich auf Abschlepptour war und mir ein paar heiße Single-Krieger suchen wollte, um sie zu vernaschen?

„Ich habe auch gehört, wie überfürsorglich Kampflord Wulf dir gegenüber ist", fügte sie hinzu. „Also verstehe ich dich vollkommen. Und du hast dir zwei scharfe Typen ausgesucht für deine Vergnügungen."

„Danke. Sie waren... gut."

Sie grinste und zog eine Augenbraue hoch wie eine böse Königin, und nicht die nette, die sie zu sein schien. „Nur gut?"

Nun starrten mich alle an. Wartend. Verdammt nochmal. Da war er wieder, mein Rotschopf-Teint. Ich hatte wohl die Farbe einer reifen Tomate.

„Also gut. In Ordnung. Sie waren unglaublich. Weltbewegend. Drei Mal. Nein, vier."

„Wenn du es nicht mehr genau weißt, dann haben sie es richtig gemacht!", fügte Rachel hinzu.

„Ja. Sie haben es richtig gemacht. Und dann sind sie verschwunden." Ich sprach das nur an, weil es mich immer noch störte, dass ich eingeschlafen war, eingebettet zwischen den beiden schärfsten Kriegern, die je existiert hatten. Ich hatte mich warm gefühlt, sicher, gesättigt und glücklicher als in den letzten Monaten. Wahrscheinlich sogar Jahren. Und danach? Nichts. Aber genau das hatte ich ihnen doch gesagt, dass ich wollte. Ich hatte es auch gewollt, als ich hierher transportiert war. Ich hatte eine Familie auf der Kolonie. Olivia und Wulf und die Kinder. Ich liebte Tanner und Emma, als wären sie meine eigenen Kinder. Olivia war mir eine Schwester auf jede Art, die zählte. Ich konnte sie nicht verlassen. Oder etwa doch?

Nein.

Also warum war ich so aufgebracht? Ich wachte doch jeden Tag alleine im Bett auf. Normalerweise störte mich das nicht. Genau gesagt war ich kein Fan davon, mir die Bettdecke teilen zu müssen. Und ich trat im Schlaf, zumindest hatte mir das vor Jahren einmal ein Freund gesagt. Aber er war auch ein bisschen ein Arsch gewesen, also hatte mein Unterbewusstsein vielleicht seine dunklen Fantasien ausgelebt, während ich schlief.

Ich blinzelte, stellte fest, dass ich schon wieder ins Leere gestarrt hatte und Jessica beugte sich zu mir vor. „Wie ich schon sagte, sie sind nicht fort, weil sie mit dir fertig waren. Ander sagte, dass er zu einer weiteren Besprechung mit dem IC-Kommandanten und Botschafter Niklas aufbrechen müsse. Da Sambor sein Leibwächter ist, ist er bestimmt auch bei ihnen."

Ich legte die Gabel weg, denn mein Appetit war verflogen. „Sind sie in Gefahr? Warum macht es dir keine Sorgen, wenn sich einer deiner Gefährten mit dem Geheimdienst trifft? Die haben es dort mit richtig ernsthaften Problemen zu tun." Einer der Anführer dort, ein Arzt namens Helion, war sogar vor Kurzem erst mit Mikki und ihren beiden Prillonen-Gefährten in die Haare geraten.

Mikki saß mir gegenüber neben Lindsey, und ich zuckte entschuldigend die Schultern. „Tut mir leid, dass ich den IC zur Sprache bringe. Ich weiß, du bist kein großer Fan."

Mikki zuckte ebenfalls die Schultern. Sie war bisher ganz ruhig gewesen, ihr Dauerlächeln auf dem Gesicht und ihr langes, glattes schwarzes Haar sahen viel zu perfekt aus für einen morgendlichen Brunch. Ich wollte es nur zu gerne in die Hände bekommen und stylen, aber die schlichte Frisur stand ihr gut. Auf der Erde war sie Weltklasse-Surferin gewesen und ihr Surfer-Wesen hatte sie nicht abgelegt, als sie auf die Kolonie kam. Sie schien sogar nun noch entspannter. Aber immerhin hatte sie ihren Platz in dieser Welt gefunden und gab Schwimm- und Tauchunterricht an der Akademie der Koalitionsflotte. Wenn sie sich auf der Kolonie aufhielt, dann half sie ihrem Gefährten Doktor Surnen dabei, neue Spezies und Pflanzen aus den Ozeanen anderer Welten zu katalogisieren und zu erforschen. Sie war nützlich.

Ich war nur... ich. Nichts Besonderes, nicht wirklich. Ab und zu schnitt ich jemandem die Haare und gelegentlich half ich beim Schminken. Meistens half ich Olivia mit Tanner und Emma. Also, nicht wirklich sexy. Oder aufregend. Eigentlich richtig langweilig. Warum sollte sich also ein hoher prillonischer Lord, der einer der führenden Botschafter des Prime war, an mich binden wollen, wenn er sich genauso gut in den Teststuhl schwingen und eine perfekt zugeordnete Frau von jeder Welt in der Koalition haben konnte? Anstatt sich für den Rest seines Lebens an eine dahergelaufene, notgeile Frau zu binden, die ihm während eines Country-Line-Dance praktisch in die Arme gestolpert war.

Mann, oh Mann. Ich war vielleicht hinüber.

Jessica drückte meinen Arm. Anscheinend hatte sie mein unglückliches Gesicht missverstanden. „Ander wird es schon gut gehen. Und deinen beiden Jungs auch. Außerdem haben alle drei einen guten Grund, hart dafür zu kämpfen, wieder hierher zurückzukehren."

Als ich die Stirn runzelte, fügte sie hinzu: „Dich. Niklas und Sambor werden dich nicht gehen lassen."

Tja, da irrte sie sich. „Doch, werden

sie. Ich bin keine Interstellare Braut. Und ich reise in weniger als zwei Tagen ab. Das habe ich ihnen von Anfang an gesagt. Ich stehe für eine weitere vergnügliche Nacht zur Verfügung, aber danach gehe ich nach Hause. Und diesmal wird das Vergnügen erst beginnen, *nachdem* der Ball vorüber ist." Ich wollte sie nicht dadurch beleidigen, mich von jeder Veranstaltung zu ihrem Geburtstag vorzeitig abzuseilen.

Rachel und Jessica tauschten einen Blick aus. Mikki und Kristin genauso. Caroline starrte mich nur mit immer größer werdendem Grinsen an.

„Auf gar keinen Fall, Mädel", sagte Caroline. „Auf gar keinen Fall."

„Was denn? Habe ich etwas verpasst?"

„Als Jessica sagte, dass sie dich nicht gehen lassen werden, hat sie gemeint, dass sie dich behalten wollen. Sie zu ihrem Eigentum machen", erklärte Rachel. „Dir einen Kragen um den Hals legen."

„Dich in Besitz nehmen", fügte Lindsey hinzu.

Mir stand der Mund offen, mein Herz pochte mir in der Brust und meine Hand flog an meinen nackten Hals und rieb über die weiche – und noch unberührte – Haut. „Auf keinen Fall. Ich bin doch nur eine gefährtenlose Friseurin."

Jessica drehte sich um, als eine weitere Frau sich zu uns gesellte. Ich erkannte sie nur daran, dass sie gestern ihre drei Viken-Prachtkerle bei sich gehabt hatte, als ich sie das erste Mal gesehen hatte und weil sie rotes Haar hatte wie ich. Es war Leah, die Königin von Viken. *Drei Gefährten!* Und doch war sie alleine.

Jessica stand auf und umarmte sie, dann machte sie eine Vorstellungsrunde. Ich war dankbar, dass ich nicht die Einzige war, die Leah noch nicht kannte. Sie trug die traditionelle Kleidung von Viken, aber ihr rotes Haar hing ihr weit über den Rücken hinunter und sie war ungeschminkt, nicht dass sie es brauchen würde. Sie war wunderschön.

„Wir reden gerade über Lucys neue prillonische Leckerbissen."

Leah blickte mich an. „Du hast Prillonen als Gefährten?" Ihr Blick fiel auf meinen Hals, und sie runzelte die Stirn, offensichtlich verwirrt.

„Gefährtenlos", sagte ich und trank einen Schluck Wasser. „So bin ich eben."

„Sie hatte gestern Nacht ein Abenteuer mit zwei prillonischen Kriegern", erklärte Caroline.

„Gib Antwort, oh Königin von Viken", setzte Jessica an, mit ganz förmlichen Worten, obwohl ihr Gesichtsausdruck amüsiert aussah. „Ein wunderschöner Rotschopf verbringt eine weltbewegende Nacht mit zwei Prillonen. Wie gut stehen ihre Chancen, auf die Kolonie zurückzukehren?"

„Alleine? Oder auf einen Besuch, mit einem Kragen um ihren Hals?", fragte Leah.

„Alleine", sagten Jessica, Lindsey, Rachel und Caroline gleichzeitig.

„Keine Chance." Leah hatte nicht einmal eine Sekunde über ihre Antwort nachdenken müssen. Nicht. Eine. Sekunde. Und in ihrem Blick lag nicht einmal ein Hauch von Belustigung. Sie scherzte nicht. Ich konnte nicht hoffen, dass sie sich nur auf meine Kosten ein wenig Spaß erlaubte.

„Wie bitte?", fragte ich verblüfft. Dann wurde mir klar, mit wem ich gerade sprach. „Verzeihung. Ich weiß nicht so recht, ob ich Eure Majestät sagen soll, oder wie nun."

Die Königin legte den Kopf schief. „Wenn du mich so nennst, wäre ich so richtig sauer. Meine Freunde sagen Leah zu mir und dazu gehörst auch du." Sie zuckte ihre schlanken Schultern. „Außerdem müssen wir Rotschöpfe zusammenhalten. Ich glaube, du bist in den nächsten zwanzig Sektoren die einzige andere Rothaarige. Selbst zu diesem

Knoten hochgebunden sind deine Locken perfekt. Was verwendet du?"

„Lucy ist Stylistin", sagte Rachel.
„Hat uns gestern allen Haare und Make-
Up für die Party gemacht."

Ich verdrehte die Augen und zupfte
an einer entflohenen Strähne. „Derzeit
ist mir das nicht unbedingt anzusehen."

Leah spitzte ihre Lippen. „Wenn du
für den Ball morgen auch alle stylst, will
ich dabei sein. Ich frage mich, ob ich den
Königen wohl mit Nasenring gefallen
würde."

Ich konnte mir ein Lächeln nicht verkneifen. Leah war cool und sie hatte genauso verrückt rotes Haar wie ich, auch
wenn ihres glatt und gepflegt war und
meine Locken ein wildes Durcheinander, als hätte mich irgendein Kerl an
ihnen gepackt, während er mich von
hinten nahm. Was auch passiert war.
Wenn sie meine Haartipps wollte, dann
bewies das nur, dass sie nur nett zu mir
sein wollte.

„Diese Prillonen werden dich behalten wollen", sagte Leah, zum vorigen Thema zurückkehrend.

Die anderen nickten. Jessica, Gott hilf mir, sah mich an, als wollte sie mich mit Blicken töten. Die Königin von Prillon Prime funkelte mich an, als hätte ich etwas falsch gemacht. „prillonische Krieger, besonders diese beiden, treiben sich nicht rum, Lucy. Das tun sie einfach nicht. Wenn sie mit dir ins Bett gestiegen sind, dann würde ich sagen, dass zu 99% einer oder beide von ihnen bereits beschlossen hatten, dich zu behalten, bevor ihr überhaupt die Party verlassen habt."

„Wie bitte?" Nein. Auf keinen Fall. „Ich bin beim Line Dance gestolpert und fast hingefallen."

„Lass mich raten, einer von ihnen hat dich aufgefangen, bevor du zu Boden gehen konntest." Rachels Lächeln musste ansteckend sein, denn alle am Tisch lächelten, außer mir.

„Ja."

„Welcher von ihnen hat dich aufgefangen?", fragte Jessica, während sie sich ach so unschuldig ein Stück Obst in den Mund steckte.

„Nik."

„Ach, wir sind also schon bei Nik? Nicht Lord Niklas? Oder Botschafter Niklas? Oder gar seinen vollen Namen? Wir sagen Nik?"

„Ich..." Ich hatte keine Antwort. Es schien tatsächlich ein wenig informell.

Jessica ließ nicht locker. „Lass mich raten – du nennst Captain Sambor, einen der höchst dekorierten Krieger auf Prillon Prime und einen der gekonntesten Auftragskiller im Dienst von Nial, schlicht und einfach Sam?"

„Sam ist Auftragskiller? Ich dachte, er wäre Niks Bodyguard?"

Königin Jessica zog eine Augenbraue hoch, als wäre ich eine Fünfjährige, die ihre Hausaufgaben nicht gemacht hatte. „Lord Niklas Lorvar dient schon über ein Jahrzehnt lang als Botschafter. Sein Cousin ist Kommandant einer Kampfgruppe. Seine Familie ist uralt und höchst respektiert. Er macht nicht mit jeder Frau rum, die seine Wege kreuzt. Und Captain Sambor Treval? Er wird von jedem prillonischen Krieger in der Flotte bewundert. Er ist faktisch eine Legende. Von unseren Feinden gefürchtet. Er hat bereits Rogue 5-Anführer bezwungen, Schmuggler, Waffenschieber und mehr Hive, als ich zählen kann. Die Liste von Auszeichnungen und Zertifizierungen in militärischen Fertigkeiten, die in den Akten hinter seinem Namen steht, ist so lange, dass ich zu lesen aufgehört habe. Er ist nicht einfach der Bodyguard von Botschafter Niklas. Er ist seine Waffe. Sie haben das „Good Cop-Bad Cop"-Spielchen zu einer Kunstform entwickelt. Sie sind keine Spielzeuge, Lucy."

Na toll. Jetzt hatte ich die Königin des Planeten angepisst. Und wir waren hier nicht in Las Vegas. Es schien ganz so, als würde doch nicht alles hier bleiben, was hier passierte. Und irgendwie war ich zum Bösewicht geworden? Der

Kotzbrocken, der nur mit den Männern spielte? Das herzlose Arschloch? Ich? Zuhause weigerte ich mich sogar, eine Spinne zu erschlagen. Ich fing sie ein und brachte sie nach draußen.

Scheiße. Ich steckte tief in der Tinte. „Es tut mir leid. Ich wollte nicht... ich weiß nicht einmal, warum sie dann an mir interessiert sein sollten. Für ein Abenteuer, sicher. Aber für immer? Ich mache anderen die Haare, mehr bin ich nicht."

„Du machst mehr als nur das", sagte Jessica. „Rachel sagt mir, dass du einen Schönheitssalon aufmachen willst."

„Auf der Erde", stellte ich klar. „Die Kolonie ist nicht der geeignete Ort dafür. Ich kann mir nicht vorstellen, dass eines dieser Mannsbilder für eine Gesichtsbehandlung zu mir kommen würde. Und Frauen gibt es dort nicht genug."

„Auf Prillon Prime aber schon", sagte Jessica und schon wieder wanderten diese Augenbrauen auf und ab.

„Auf Viken auch", fügte Leah hinzu,

dann blickte sie zu Jessica. „Ich hatte schon keine Verwöhn-Kur mehr, seit ich von der Erde weg bin. Weißt du, ich würde liebend gerne für einen Wellness-Tag mit den Mädels nach Prillon Prime reisen. Und wenn zwei Königinnen antanzen..."

„Dann wäre das der heißeste Tipp auf dem ganzen Planeten!", fügte Rachel hinzu.

Ich schwieg, biss mir auf die Lippe und dachte nach. „Die Idee ist wirklich gut und ich kann zwischen den Zeilen lesen. Ihr sagt das alles, weil ihr denkt, dass Nik und Sam mich in Besitz nehmen wollen. Ich sage aber, dass es nur ein Abenteuer war."

Nach allem, was ich nun über sie erfahren hatte, war ich mir nur noch sicherer, dass es eine viel zu ungleiche Verbindung wäre.

Zur Abwechslung war der Rest am Tisch sprachlos. Alle außer Jessica. „Pass nur bitte gut auf, ja? Sie sind keine Menschen, Lucy. Sie denken nicht wie Menschen. Nicht, wenn es um Gefährtinnen geht."

Ein Wächter, der von Kopf bis Fuß in schwarze Tarnrüstung gekleidet war und eine gefährlich aussehende Waffe trug, erschien in der Tür und räusperte sich. Er war golden, wie Sambor, und blickte höllisch ernsthaft drein. „Meine Königin, Prime Nial hat umgehend Eure Anwesenheit erbeten. Es gibt Neuigkeiten von der Legion Styx. Und Commander Zeus wartet am Kommunikations-Gerät."

Jessica stand auf, als stünde ihr Stuhl in Flammen. Sie machte einen Schritt zur Tür, dann warf sie mir über die Schulter noch einen Blick zu. „Es sind gute Jungs, Lucy. Wirklich gute Jungs. Brich ihnen nicht das Herz, in Ordnung?"

Ich nickte, und sie ging. Um mich herum spekulierten die anderen, was die Nachricht von der Legion Styx auf Rogue 5 wohl zu bedeuten hatte. Anscheinend hatte deren Anführer – namens Styx – sich ebenfalls eine Menschenfrau zur Gefährtin genommen. Und dieser Commander Zeus? Er war der einzige Kommandant in der Koalitionsflotte, der halb Mensch, halb Prillone war. Mikki erzählte uns, dass er schon öfter mit ihrem Gefährten Doktor Surnen in Kontakt gewesen war, weil er irgendwie eine Menschenfrau gefangen genommen hatte. Eine Menschenfrau, die verseucht und immer noch mit den Hive verbunden war. Und Doktor Surnen war einer der führenden Experten für das Entfernen und Zerstören von Hive-Integrationen.

Eine Menschenfrau, die zu Hive gemacht worden war und dann von einer Koalitions-Kampfgruppe gefangen genommen wurde. Lebend?

Verdammt aber auch. Und ich dachte, ich hätte Probleme. Jetzt fühlte ich mich richtig kleinlich.

Der Anzahl nach gab es nicht besonders viele von uns Erden-Mädels hier draußen im Weltraum und doch steckten wir anscheinend überall mit drin, direkt in der Hitze des Gefechts in diesem Krieg.

Unter dem Tisch griff Lindsey nach meiner Hand und drückte sie. „Es wird schon gut gehen, Lucy. Mach dir keine Sorgen."

„Ich mache mir gar keine Sorgen", log ich, als ginge es um mein Leben, denn irgendwie war dieses harmlose Abenteuer für mich ernst geworden und die Männer, die ich mit ins Bett genommen hatte, waren nicht einmal hier. Wie war das nur passiert? Und was zur Hölle sollte ich jetzt tun?

iklas, Prillon Prime, Palast

ICH MACHTE MIR SORGEN, dass Ander bemerkt haben und sich daran stören könnte, dass ich nicht gerade... diplomatisch im Umgang mit Helion gewesen war. Nicht, dass er sich den groben Umgang nicht verdient hätte. Der Prillone war ein Arschloch und meine Aufgabe war es, mit Arschlöchern nett umzugehen. Trotz seines wohlverdienten Rufes, ein schwieriger Brocken zu sein, war

Doktor Helion für die gesamte Koalition von unschätzbarem Wert. Niemand konnte tun, was er tat und ungeschoren davonkommen.

Der Kerl brauchte dringender eine Gefährtin als jeder andere, den ich kannte. Andererseits hatte ich keine Ahnung, ob überhaupt ein männlicher Prillone existierte, der verrückt genug war, um sein Sekundär zu werden. Die Götter mögen allen Beteiligten beistehen, sollte der Tag je kommen, an dem Helion den Zuordnungstest des Interstellaren Bräute-Programms durchlaufen wollte. Die Götter mögen allen dreien beistehen.

Das setzte allerdings voraus, dass es da draußen eine Frau gab, irgendwo in diesem Universum, die tough genug war – oder verrückt genug – sich diesen Kerl anzutun. Mehr als nur einmal hatte ich ernsthafte Zweifel daran, dass selbst das Bräute-Programm eine passende Frau für ihn finden konnte.

Ihm beim Zanken mit Vizeadmiralin

Niobe zuzusehen hatte mich mehr als nur einmal dazu gezwungen, mir ein Lächeln zu verkneifen.

Die Frau ließ sich einfach nichts gefallen. Der Elitejäger hinter ihr – Quinn, ihr Gefährte – machte sich gar nicht erst die Mühe, seine Belustigung zu verbergen. Aber wenn ich das Feuer sah, das hinter Helions Augen brannte, überlegte ich, ob es nicht vielleicht doch die perfekte Frau für ihn da draußen gab. Und ich würde wetten, dass es sich dabei um eine Erdenfrau handelte.

Diese Menschenfrauen waren eine nicht zu unterschätzende Naturgewalt. Einschließlich meiner.

Lucy. Ich konnte es kaum erwarten, zu ihr zurückzukehren, ihr meinen Kragen umzulegen und meine Absichten zu erklären.

Ich hatte es genossen, letzte Nacht von ihr rangenommen und in Besitz genommen zu werden. Auch wenn ich bezweifelte, dass Lucy sich selbst darüber im Klaren war, dass sie genau das tat.

Aber ich wusste es. Sambor auch. Wir hatten mit jeder Berührung ihre Besitznahme akzeptiert. Sie gehörte nun uns.

Ich war verdammt dankbar dafür, dass auch Ander die Besprechung langsam langweilig fand. Wir kamen nicht weiter. Helion hatte noch keinen Durchbruch mit der Nexus-Einheit gehabt. So ging es schon seit Monaten, ohne Fortschritte. Auch heute würde es keine Ergebnisse geben.

„Gwendolyn Fernandez ist womöglich die Einzige, die jetzt noch mit dem Ding kommunizieren könnte", sagte Helion. „Nach ihrem eigenen Aufenthalt bei den Hive, ihren Integrationen..."

„Wir haben von ihr gehört", sagte Niobe. „Aber sie ist abtrünnig. Schon seit Monaten hat sie niemand gesehen. Sie ist ein Gespenst."

Ander seufzte. „Sie war auf der Kolonie. Befreundet mit meiner Gefährtin und den anderen Frauen von der Erde. Ich habe die Königin gebeten, zu versu-

chen, über ihr Netzwerk von Menschenfrauen mit ihr in Kontakt zu treten."

Niobe blickte mit großen Augen zu
Ander. „Du hast was getan?"

„Derzeit finden die Feierlichkeiten
zum Tag der Geburt meiner Gefährtin
statt. Die Frauen von der Kolonie sind
alle im Palast."

„Ja, wir werden dem Ball morgen
Abend beiwohnen", sagte Niobe mit
einem Blick auf ihren Gefährten.

„Ich sollte schon jetzt bei ihr sein,
nicht hier." Er funkelte Helion geradezu
an. „Wenn wir nichts weiter brauchen,
als über die Damen an Gwen heranzu-
kommen, dann können wir diese Besprechung jetzt gleich beenden. Ich
würde es bevorzugen, mir Jessicas Zorn
nicht zuzuziehen."

Niobe lachte, während ihr Gefährte
„das kann ich mir vorstellen" raunte.

Ander klopfte mit seinen Knöcheln
auf den Tisch. „Helion, ich habe Jessica
und Lady Rone gebeten, Gwen zu kon-
taktieren. Wir haben für morgen ein

Treffen in Sektor 437 anberaumt, falls sie akzeptiert. Bis dahin sind wir hier fertig." Er wartete nicht auf Antwort, sondern nickte nur den Wachen zu und verließ den Raum, in dem Doktor Helion verblüfft stammelnd zurückblieb.

„Lord Ander! Einen Moment, bitte. Ich brauche mehr Details."

„Morgen, Helion." Ander blickte nicht einmal zurück.

„Kommen Sie zum königlichen Ball?", fragte ich mit Blick auf Doktor Helion.

„Ich habe zu arbeiten." Mit diesen Worten setzte er Ander hinterher. Der Anblick brachte mich zum Lächeln. Er hatte nicht die geringste Chance. Absolut nicht.

Sambor und ich nickten den anderen zu, dann folgten wir ihm hinaus.

Ich war abgelenkt gewesen während dieser Besprechung mit Helion, in Gedanken bei Lucy. Alles an ihr, besonders das unsichere Lächeln, das sich über ihr Gesicht gezogen hatte, als ich auf der

Tanzfläche gegen sie gestoßen war. Dieser eine, winzig kleine Schwung in ihren Lippen, und um mich war es geschehen.

Ich war schon in jenem Moment bereit gewesen, sie mir über die Schulter zu werfen und zurück in mein Quartier in der Nähe des Palastes zu tragen. Dann hatte sie mir ihr Angebot gemacht. *Uns.* Eine gefährtenlose Erdenfrau hatte unverfroren von mir und Sambor gefordert, dass wir ihr Orgasmen schenkten.

Als wäre das je in Frage gestanden. Dann hatte sie uns auf ihr Zimmer gebracht, indem sie an unsichtbaren Ketten zerrte, als wären wir unterwürfige Trion-Frauen. Wir hatten stundenlang unter Beweis gestellt, dass wir alles andere als Frauen waren und alles hatten, was sie zu ihrer Befriedigung brauchte. Wieder und wieder.

Ihre Lustschreie, wie ihre Pussy sich zusammenkrampfte und über unsere Schwänze triefte, ihre Fingernägel, die sich in meinen Rücken gruben. Wie sie sich räkelte, während sie Sambor zu ihrem eigenen Vergnügen ritt.

Sie hatte uns so wunderschön benutzt. Und wir hatten es ihr gestattet, uns zu besitzen, sich zu nehmen, was immer sie wollte, von unserem Geschmack bis zum Samen unserer Schwänze.

Scheiße, wir hatten es ihr gestattet. Ich hätte ihr letzte Nacht selbst das Blut aus meinen Adern überlassen.

Und heute Nacht würden Sambor und ich ihr unser Leben geloben. Unsere Ehre. Unseren Schutz. Heute Nacht würde ich ihr das Band um ihren Hals legen und wir würden ihre Gedanken, ihr Herz und ihre Begehren erfahren.

In einem klaren Moment hatte ich eine Nachricht an mein Personal übermitteln lassen, die Bänder zum Transportraum auf Prillon Prime zu bringen und dort würden sie nun auf mich warten. Zwei Bänder im dunklen Blau der Familie Lorvar, und ein viel kleineres, schwarzes Band für unsere neue Gefährtin. Ich wollte keinen Moment mehr verlieren, bevor ich zu Lucy ging.

Und jetzt, nach unserer Abreise vom IC, stand ich vor einer verschlossenen Zimmertür im Palast, hielt die Halsbänder fest in der Hand und blickte auf sie hinunter wie so oft im Lauf der Jahre. Ich hatte auf diesen Moment gewartet, wo ich an die Frau, die meine Gefährtin sein sollte, herantreten und meinen Besitzanspruch geltend machen würde. *Unseren* Besitzanspruch, denn Sambor wartete bereits ebenso lange.

Er stieg von einem Fuß auf den anderen, war ganz genau so abgelenkt und begierig. Hatte fast schon einen Heißhunger auf Lucy von der Erde.

Ich blickte ihn an. Er nickte. Ich klopfte an Lucys Zimmertür. Neben mir holte er tief Luft. Atmete aus.

„Ich habe doch gesagt, ich will nicht zum Karaoke mit...“ Lucys Worte stockten, als sie uns sah und die Tür sprang in ihren gut geölten Angeln zurück und stieß gegen ihre Hand, die immer noch ausgestreckt war.

Ihre grünen Augen waren groß und ihr Mund stand offen. Sie hatte eindeutig nicht mit uns gerechnet. Ich konnte zusehen, wie ihr die Gedanken übers Gesicht huschten, bevor sie sich ihre Hand vor den Kopf hielt, dann einen Schritt zurücktrat und uns die Tür ins Gesicht warf.

Sambor blickte mich an.

Ich runzelte die Stirn und klopfte noch einmal. „Lucy."

„Ähm... kommt später wieder vorbei!", rief sie, wobei ihre Stimme durch die dicke Tür hindurch gedämpft klang.

„Wir werden nicht zurückkommen", sagte ich. Sie hatte vielleicht letzte Nacht das Sagen gehabt, aber nun nicht mehr. „Öffne die Tür, bitte."

„Werde ich, wenn ihr später wieder vorbeikommt."

„Was ist los, Lucy? Bist du verletzt?", fragte Sambor.

„Nein. Es geht mir gut. Es ist nur..."

Ich starrte Sambor an und der zuckte die Schultern.

„Öffne die Tür, Lucy, oder dein Hintern wird meinen Handabdruck tragen, wenn du das nächste Mal kommst."

Sie stöhnte.

„Du bist verletzt. Tritt von der Tür weg, Lucy. Ich werde sie nun öffnen, um deine Sicherheit zu gewährleisten." Sambors Worte waren von derselben Dominanz durchzogen wie meine, aber in seinen lag außerdem noch Sorge. Soviel also dazu, dass ich der Diplomat unter uns wäre.

Er drehte am Knauf und öffnete langsam die Tür, darauf achtend, unsere Gefährtin nicht zu stoßen. Sambor trat als erstes hindurch und nahm sie auf die Arme. Ich folgte ihm zum Bett, wo er sich hinsetzte und sie auf seinem Schoß platzierte. Seine Hände huschten über ihren Körper, und auch ich suchte sie ab, fand aber keine Verletzungen.

„Wo tut es weh?", fragte ich.

Sie blickte zu mir. „Nirgends tut es weh."

„Warum hast du gestöhnt?", fragte Sambor, während sie seine Hände von ihren Brüsten wegschob. Die Nippel, die sich unter ihrem schlichten weißen Hemd abzeichneten, wiesen nicht auf eine Verletzung hin. Womit war sie beschäftigt gewesen, während wir weg waren?

Sie schloss die Augen. „Gott, könnte das hier noch peinlicher werden?"

„Über keine Verletzung musst du dich schämen", sagte Sambor und hob sie hoch, als wäre sie eine Puppe, bis sie vor ihm zu stehen kam. Er drehte sie im Kreis herum und suchte nach etwas, das gebrochen war oder blutete.

„Ich habe gestöhnt, weil Niks Worte so scharf waren."

Sambor hielt inne.

Mein Schwanz war sofort hart. „Du willst verhauen werden."

Sie blickte über die Schulter hinweg zu mir und lief leuchtend rosa an.

„Nun, eher so wie brave Mädchen."

„Verhauen werden wie brave Mädchen", wiederholte Sambor. „Vorhin hast du uns die Tür ins Gesicht geschlagen. Warum?"

„Warum?", sagte sie und warf die Hände in die Luft. „Ihr steht umwerfend gutaussehend da in euren Uniformen und prillonischen Anführer-Kleidern und ich habe mein Haar unordentlich hochgebunden. Ich bin ungeschminkt und laufe in Leggings und einem T-Shirt rum."

Ich musterte sie, vom wilden Haar auf ihrem Kopf bis zu den Zehen. Sie war von Sommersprossen übersät, goldene Flecken auf ihrem ganzen Gesicht und ihren Armen. Sam musste es ebenso bemerkt haben, denn er hakte einen Finger unter den runden Kragen ihres Hemdes und zog ihn ein paar Zentimeter weit hinunter, um etwas mehr davon freizulegen.

„Ich weiß nicht, was Leggings sind", antwortete ich geistesabwesend, gefes-

selt von ihren wunderschönen Zeich-
nungen. Ich hatte sie in der Nacht zuvor
nicht auf ihrem Gesicht oder ihrer Brust
gesehen, als wir sie nackt vor uns hatten.

Warum würde sie eine so seltene
Zeichnung verbergen wollen?

„Man braucht sie für Sport wie etwa
Yoga, was ich praktiziere, um so flexibel
zu werden, dass ich wie letzte Nacht
meine Knie bis an meine Ohren hoch-
ziehen kann."

Meine Gedanken wanderten zu den
Bildern davon, sie zu ficken, während
meine Hände an ihren Schenkeln lagen
und ihre Beine nach oben und nach
hinten drückten. Es war ihr erstaunlich
leicht gefallen, ausgefallene Positionen
einzunehmen.

Sambors Augen wurden groß und
seine Hände wanderten zu ihren Hüften
und schoben den engen Stoff nach unten, der ihre Kurven keinesfalls
verhüllte.

„Du bist wunderschön, Gefährtin",

sagte ich. Ich dachte an ihre Worte von letzter Nacht, als sie uns ihren Beruf beschrieben hatte und dass es ihr Wunsch war, dass Frauen sich selbstbewusster fühlten. Sie hatte erklärt, dass das Aussehen einer Frau Einfluss auf ihre Zufriedenheit hatte. Ich hatte gesagt, dass es die Aufgabe eines Gefährten wäre, dafür zu sorgen, dass sie sich attraktiv und selbstbewusst fühlte. Das stimmte auch. Sie war wunderschön und ich würde niemals damit aufhören, ihr das auch zu sagen.

Sie lachte und drehte sich zu mir herum, wirkte aber gar nicht amüsiert. „Ich sehe aus, als sollte ich sechs Katzen haben und Wein trinken, während ich Teekannen-Wärmer stricke."

Ich konnte mit jedem Koalitionsmitglied von jedem Planeten kommunizieren, aber bei Lucy musste ich mich geschlagen geben. Ich hatte keine Ahnung, was ich darauf sagen sollte, also wiederholte ich mich einfach. „Du bist wunderschön, Gefährtin."

Sie schnaubte, dann fing sie zu husten an. „Wie hast du mich genannt?"

Sambor streichelte ihr über den Rücken.

„Muss ich es noch einmal sagen?", fragte ich.

„Du hast mich ‚Gefährtin' genannt."

„Das hat er", erklärte Sambor. „Nicht nur einmal, sondern zweimal."

Ihre rosige Zunge schoss hervor und leckte sich über die Lippen. „Ich bin nicht deine Gefährtin."

„Noch nicht." Ich hielt die offenen Kragen hoch. „Wirst du aber sein."

Sie stammelte, dann trat sie einen Schritt zurück, obwohl ich sie nicht weit kommen ließ. „Ihr Kerle seid doch verrückt! Ich kann nicht eure Gefährtin werden."

„Warum nicht?", fragte Sam.

„Es sollte doch nur ein One-Night-Stand werden. Egal, wie gut der Sex ist, ein Abenteuer ist keine gute Grundlage für eine gute Übereinstimmung."

„Du hast uns gestern Nacht unter

allen männlichen Wesen auf der Party auserwählt", stellte ich fest.

Sie fuhr sich mit der Hand übers Haar und blickte zur Decke hoch, als würde diese sie besser verstehen als wir es konnten. „Die meisten Typen hier haben Gefährtinnen. Mit verheirateten Männern lasse ich mich nicht ein. Oder wie auch immer ihr das im Weltraum nennt."

„Das macht dich ehrenhaft", stellte Sam fest.

Sie legte sich die Hände an die Hüften und funkelte ihn an. „Ehre reicht nicht dafür aus, mit jemandem sein Leben zu verbringen. Mit *zwei* jemanden." Sie winkte mit der Hand in meine Richtung.

„Die gegenseitige Anziehung, die Verbindung zwischen uns bestand sofort", sagte ich.

Sie lachte. „Du glaubst an Liebe auf den ersten Blick?"

Ich zuckte leicht mit den Achseln, musterte sie und überlegte. „Ich zweifle nicht an der Verbindung zwischen uns."

„Ich kenne euch doch nicht mal", rief sie und warf die Hände hoch. Sie lief quer durch den Raum, dann wirbelte sie herum und kam wieder auf uns zu, lief hin und her, als wäre sie auf Wachposten.

„Ich weiß genug, um dir meinen Kragen anzubieten", sagte ich mit gewichtiger Stimme. Ich hatte diese Worte noch nie zuvor zu jemandem gesprochen, noch würde ich es je wieder tun. Lucy gehörte mir. Keine andere Frau würde ihr das Wasser reichen können.

„Ich kenne dich gut genug, um mir ebenfalls ein Gefährtenband umzulegen", setzte Sam hinzu.

„Was ist deine Lieblingsfarbe? Hast du lieber Erdnussbutter mit Stückchen oder ohne? Gott, bist du allergisch auf Nüsse? Was ist mit Fleisch, isst du das? Lebst du in einem Haus? Was ist mit dir, Sam? Wo wohnst du? Ich hatte mir immer gedacht, dass ich irgendwann einen Kerl heiraten würde, aber mit zweien tue ich mir schwer. Ich meine, klappt ihr die Brille wieder runter? Wie soll ich mit zwei Kerlen überleben, die die Brille oben lassen?"

„Was für eine Brille?"

„Auf der Toilette." Sie raufte sich die Haare, sichtlich am Rande einer Panik. „Ach du Scheiße. Das habe ich ganz vergessen. Diese komischen Implantate. Müsst ihr Kerle überhaupt noch pinkeln? Auf der Kolonie müssen die das nicht. Das ist so eigenartig. Alles ist so eigenartig."

Ich trat ihr in den Weg und legte ihr die Hände auf die Schultern. „Beruhige dich."

Sie kniff ihre grünen Augen zusammen und blickte zu mir hoch. „Sag mir nicht, dass ich mich beruhigen soll. Ich habe hier ein Alien vor mir stehen, das mir einen Kragen umlegen will und ich habe keine Ahnung, wie er für mich empfindet, abgesehen vom Sex. Sex ist keine Beziehung."

Ich hielt die drei Halsbänder hoch, und sie baumelten von meiner Faust hinunter. „Leg dir den Kragen um und du wirst alles wissen. Du hast Freundinnen, die Prillonen als Gefährten haben. Lady Rone, die Gefährtin von Doktor Surnen."

„Mikki."

„Ja, die geniale Frau, die die Wassertransport-Maschinen des Hive entdeckt hat."

„Ja, die haben mir von den Kragen erzählt. Wie sie einander fühlen können, die Emotionen der anderen kennen, ob sie verletzt sind oder Angst haben."

Ich nickte. „Das stimmt. Das alles wirst du wissen und wie Sambor und ich für dich empfinden, wenn du dir meinen Kragen anlegst. Alle deine Fragen werden beantwortet werden."

„Einfach so? Es geht doch um die Kleinigkeiten, die so wichtig sind."

Ich beugte mich hinunter, sodass wir auf gleicher Augenhöhe waren. „Ist es für eine gute Übereinstimmung wirklich so wichtig, meine Lieblingsfarbe zu kennen?"

„Ja."

Es war tatsächlich wichtig, die Nuancen und Charakterzüge der anderen Person zu kennen. Besonders einer von einem Planeten, der so anders war. Kulturelle Unterschiede alleine hatten eine große Wirkung auf die Sichtweise und genau das war im Moment das Problem.

Ich hob meine Hand und wickelte mir eine Strähne ihres weichen Haars um den Finger. „Meine Lieblingsfarbe ist rot." Ich zog sie an mich heran und gab ihr einen sanften Kuss auf ein Augenlid. „Und grün."

Sie spitzte die Lippen, aber sie lief nicht mehr auf und ab. Wir machten Fortschritte.

„Alle, die du aufgezählt hast, wurden über das Bräute-Programm zugewiesen. Sie wurden getestet und die Übereinstimmung ist nahezu perfekt. Keine von ihnen musste sich darüber Gedanken machen, ob die Zahnpastatube zuge-

schraubt wird. Ich meine, du bist Botschafter,   und   über   deine
Errungenschaften im Kampf haben sie
mir alles erzählt." Sie deutete auf Sambor. „Ihr beide seid großartig. Ich bin...
bloß ich."

„Du bist eine Seltenheit, nicht nur
als Person, sondern auch, weil du gefährtenlos bist und doch nicht länger auf der
Erde. Willst du die Verbindung zwischen
uns leugnen? Ist deine Pussy nicht
feucht nach uns?"

„Meine Pussy sollte nicht den Rest
meines Lebens bestimmen", brummte
sie.

„Leg dir den Kragen an, Lucy. Alles
wird dir dann offenbart werden. Vertraue uns, nur noch dieses eine Mal."

Sie verdrehte die Augen, wandte aber
den Kopf zu Sambor herum, der immer
noch an der Bettkante saß. Er nickte.
„Ich wünsche, jeden meiner Gedanken
mit dir zu teilen. Wie ich fühle. Ich wünsche, dich zu *kennen*."

Sie verschränkte die Arme vor der

Brust, aber sie tat es nicht als Geste des Widerstands, sondern eher als Schutzmauer. „Wenn ich den Kragen anlege, macht uns das nicht sofort zu Gefährten, richtig?"

Etwas löste sich in meiner Brust bei ihren Worten, der Tatsache, dass sie es in Erwägung zog.

„Eine offizielle Besitznahme, wo der Kragen die Farbe von Schwarz zu Dunkelblau wechselt, findet erst statt, wenn deine Gefährten dich gemeinsam nehmen."

Sambor stand auf und stellte sich hinter sie, sodass sie zwischen uns war, genau wie sie es sein würde, wenn wir sie in Besitz nahmen. Nicht *falls*.

Sondern wenn.

„Und nur dann, wenn du einwilligst, uns zu gehören, Lucy." Er beugte sich hinunter und küsste sie seitlich am Hals, wie er es letzte Nacht getan hatte. „Wenn du Ja sagst, dann werde ich deinen Hintern ficken", sagte Sambor und zog den Kragen ihres Hemdes beiseite, damit er sie weiter unten an der Schulter küssen konnte.

„Ich werde deine Pussy ficken. Wir werden dich gemeinsam in Besitz nehmen. Du wirst uns vereinen, zu einer Einheit verbinden. Erst dann, wenn du uns beide in deinem Körper akzeptierst, wenn du die rituellen Worte sprichst, erst dann wirst du voll und ganz uns gehören."

Sam leckte an ihrem Hals hoch. „Und wir werden dir gehören. Warum hast du deine Sommersprossen verborgen?"

Sie legte den Kopf zur Seite, um ihm auszuweichen, aber er ließ es nicht zu. „Ich bin völlig übersät mit ihnen. Sie sind hässlich."

Ich ließ die Kragen zu Boden fallen, damit meine rechte Hand frei wurde. Obwohl ich ansonsten nicht so achtlos mit etwas so Heiligem umgehen würde, war Lucy wichtiger. „Ach, Gefährtin. Alles an dir ist wunderschön." Mit meinen Fingern unter dem Saum ihres

Hemdes zog ich es langsam an ihrem Körper hoch. Sambor lehnte sich zurück, sodass ich es ihr über den Kopf streifen konnte.

Sie trug nichts darunter und sie verschränkte die Arme vor ihren Brüsten.

„Was ist aus der tapferen und verwegenen Frau von letzter Nacht geworden?", fragte Sambor.

Sie blickte überall hin, nur nicht auf uns. Ich wünschte, sie würde den Kragen tragen, sodass wir sie verstehen konnten.

„Die hat ihre Mängel überschminkt."

„Und warum tust du so etwas?", fragte ich.

Sie blickte mit großen Augen zu mir hoch. „Weil sie furchtbar aussehen!"

Ich bückte mich und hob die Kragen wieder hoch. „Leg ihn dir um. Hilf uns, zu verstehen."

Es war offensichtlich, dass sie Probleme mit ihrem Selbstbild und mit Eitelkeit hatte.

„Hat ein Mann auf der Erde dich ihretwegen abgewiesen?"

Sie schluckte schwer und mied unsere Blicke weiter.

„Das wären doch gute Nachrichten", sagte Sambor.

Lucy wirbelte auf dem Absatz zu ihm herum, ihre Hände immer noch schützend vor ihre Brüste gehalten. „Das war gemein."

Er strich ihr mit einem Finger über ihre Wange, von der ich wusste, wie seidig weich sie war. „Es ist eine gute Nachricht, denn es bedeutet, dass es noch nie einen Mann gegeben hat, der deiner würdig gewesen wäre. Bis jetzt. Bis zu uns. Wir sehen *dich*, Lucy."

„Lasst uns die Kragen tragen, und alles wird klar werden. Vertrau mir", sagte ich in meinem diplomatischsten Tonfall. In all den Jahren, die ich meine Rolle schon innehatte, war dies die bedeutendste Unterhaltung meines Lebens.

„In Ordnung. Aber keine Besitznahme. Kein ‚Ups, dein Hintern ist mir auf den Schwanz gefallen, während der von Nik sich in deine Vagina verirrt hat.‘“

Ich musste lachen. „Du zweifelst an unserer Ehrenhaftigkeit?“

Sie lief rot an und begegnete endlich meinem Blick. „Nein, du hast ja recht. Tut mir leid. Ihr würdet mir keine Falle stellen.“ Sie seufzte. „In Ordnung. Die Kragen. Aber ich nehme ihn ab, wenn nichts draus wird. Und ich reise nach dem Ball ab, also...“

Es würde was draus werden und sie würde nicht abreisen, ohne dass der Kragen dunkelblau gefärbt und ihr Körper in unseren Besitz übergegangen war. Wenn ich das laut aussprach, würde sie zu hart an ihre Grenzen getrieben werden. Obwohl sie die Wahrheit erfahren würde, sobald das Band an ihrem Hals lag, aber zumindest würde sie es dann tragen. Sie würde die Wahrheit kennen. Worte waren eine Sache. Sie konnten gefälscht oder verdreht werden, um jemanden glücklich zu stimmen. Ich war Diplomat, ein Meister dieser Kunst.

Die Kragen logen nicht. Als ich sie wieder hochnahm, den einen Sambor reichte und mir rasch erst meinen um den Hals legte, bevor ich Lucy mit ihrem half, waren keine Worte notwendig.

Alles was wir waren und zusammen sein würden, würde bald klar werden.

 *ucy*

DU LIEBE SCHEIßE. Ich war wohl die einzige Frau auf der ganzen Erde, deren One-Night-Stand eine ewige Bindung wollte. Ach ja, ich war ja nicht auf der Erde. All diese Frauen, die erfolgreich ihren Spaß gehabt und den Kerl danach völlig vergessen hatten, hatten auch nicht mehr als das bekommen. *Sie hatten*

mit einem gewöhnlichen Kerl geschlafen. Ich hatte mit einem Alien Sex gehabt. Einem herrischen Prillonen-Krieger.

Nicht nur einem, sondern zwei.

Zwei, die eine Frau miteinander teilten. Die vorhatten, sie zur Gefährtin zu nehmen und für immer in Besitz zu nehmen.

Ich war es zwar gewesen, die sich Nik und Sam auf der Party ausgesucht hatte, aber sie hatten nicht mehr vor, mich gehen zu lassen.

Nicht nur das: Sie wollten, dass ich einen prillonischen Gefährtenkragen trug, ein sichtbares Zeichen für jeden, der mich sah – oder auch sie sah – dass sie vom Markt waren. Dieses... Abenteuer, das ich geplant hatte, sollte also kein Geheimnis bleiben.

Sie wollten, dass alle Welt über uns Bescheid wusste.

Was immer das hier auch war.

Die Mädels hatten alle recht behalten. Ich hatte menschliche Vermutungen mit ins Bett genommen und meinen Freundinnen nicht geglaubt, als sie mir sagten, dass die Sache nicht ganz wie geplant verlaufen würde.

Mein Puls hatte schon Infarkt-Geschwindigkeit und ich hatte dieses Kribbeln im Brustkorb. So, wie wenn jemand überraschend irgendwo hervorsprang und „buh" rief und mir damit meinen gesamten Adrenalinvorrat ins Blut kippte.

Auf der Erde hatte ich von einem Kerl geträumt, der mich von den Socken reißen würde, mit dem ich eine sofortige Verbindung spüren und einfach *wissen* würde, dass er der Richtige war. Auf der Kolonie sah ich überall diese Paare, die über das Bräute-Programm zugeordnet worden waren und *wussten,* dass sie füreinander perfekt waren.

Nun hatte ich zwei scharfe Prillonen mit riesigen Schwänzen und geschickten Händen und Mündern, die *wussten,* dass ich für sie die Richtige war.

Was war los mit mir?

Träumen war eine Sache, die Realität war etwas ganz Anderes.

Und doch...

Ich hatte sie beim Tanzen kennengelernt. Sie waren furchtbare Tänzer, aber das machten sie auf andere Weise definitiv wieder gut. Ich hatte sie auf der Party bemerkt. Ich war auf sie zugegangen. Ich hatte mich ihnen dargeboten.

Warum? Weil mich etwas zu ihnen zog. Damals, und auch jetzt.

Ich fasste mir an den Kragen um meinen Hals, blickte zu Sam, der gerade seinen Kragen verschloss. Ich wusste von den Mädels, die einen hatten, wie die Gefühle über das Ding hereinfließen würden, und...

„Du liebe Scheiße."

Ich griff haltsuchend nach Niks Arm, denn die mächtigen Empfindungen, die über den Kragen strömten, waren überwältigend.

„Schh", sagte Nik. „Atme. Es ist anfangs ganz schön heftig, mich und Sam zu spüren, unser Begehren nach dir, unser Verlangen, dich zu unserem Eigentum zu machen."

Ich blickte durch die Wimpern hindurch zu Nik hoch, konnte spüren, wie sehr ihm meine entblößten Brüste gefielen und spürte Sams Erregung und seine Begierde, mich zu ficken.

„Braves Mädchen."

Meine Gedanken blitzten zurück zu dem, was Nik vorhin gesagt hatte. Darüber, mich wie ein *braves Mädchen zu verhauen*. Und mir wurde ganz heiß.

Nik lächelte, während Sam ächzte. „Siehst du? Wir sind genauso von dir überwältigt, von deinen Gedanken und Begehren."

Sams große Hände ruhten an meiner nackten Taille, glitten nach unten, schoben sich unterwegs unter den Bund meiner Leggings und legten mich vor ihren Augen frei.

„Du trägst keine Unterwäsche, wenn du dich so anziehst", bemerkte Sam und ich *spürte* ebenso deutlich, wie ich hörte, wie sehr es ihm gefiel.

„Nein. Wer trägt schon gerne BH oder Höschen, wenn man alleine ist?", fragte ich und hob die Füße hoch, damit er den dehnbaren Stoff wegziehen konnte.

„Oder mit seinen Gefährten zusammen", ergänzte Nik.

Ich stand nackt zwischen ihnen, während sie immer noch vollständig angezogen waren. Sams Hände streichelten mir wieder über die Beine nach oben und packten schließlich meine Arschbacken. Dann gab er mir einen Klaps. Nur ganz leicht, aber ich erschrak. Es stach nur ein wenig, doch die Hitze, die folgte, ließ mich stöhnen. Ich drehte mich zu ihm herum.

Seine blassen Augen und sein verwegenes Lächeln waren tödlich für meine Gehirnfunktionen und jegliche Bemühungen, ihm zu widerstehen.

Sie begehrten mich. Die Kragen verrieten mir das. Sowie auch die Beulen in ihren schwarzen Hosen. Der Ausdruck in ihren Augen.

„Verhauen wie ein braves Mädchen", raunte er, dann trat er einen Schritt zurück.

Von einer Sekunde zur nächsten hatte Nik sich gebückt und mich über seine Schulter geworfen und trug mich zum Bett. Er ließ mich darauf fallen und ich federte hoch.

Sie ragten über mir auf, am Fuß des riesigen Betts. Ich hatte am Vortag nicht darüber nachgedacht, aber nun wusste ich, warum die Betten hier so groß waren. Zwei Prillonen und ihre Gefährtin mussten darin Platz finden.

„Wir sollten dich wie ein böses Mädchen dafür verhauen, dass du an uns gezweifelt hast."

„Ich habe nicht gezweifelt..."

Nik schüttelte langsam den Kopf und hob die Hand hoch. „Ich kenne deine Gedanken. Deine Gefühle, Gefährtin. Lügen funktioniert hier nicht. Nicht mal, dich selbst anzulügen."

Er hatte recht und ich biss mir auf die Lippe.

„Gestern Nacht hattest du das Sagen. Jetzt bin ich an der Reihe", stellte Nik nüchtern fest.

In mir kribbelte alles und das Knurren, das aus Sams Brust ertönte, zeigte mir, dass er es spürte. Nik blickte zu Sam. „Zieh dich aus und steig aufs Bett. Sehen wir uns an, wie es unserer Gefährtin damit geht, sich nicht bewegen zu können."

Wollten sie mich fesseln? Ich dachte, die Sadomaso-Spielchen gab es eher auf Trion.

Sam reagierte entweder gut auf Befehle, oder es war ihm egal, herumkommandiert zu werden, solange am Ende Sex für ihn dabei rauskam – denn er war in Rekordzeit aus seiner Uniform raus. Er kroch aufs Bett, thronte auf allen Vieren über mir und küsste mich. Dann ließ er sich auf den Rücken fallen. Er rückte sich die Kissen hinter seinem

Kopf zurecht und machte es sich neben mir gemütlich.

Er nahm mich in seine beachtlichen Arme und platzierte mich vor sich, von ihm abgewandt. Ich ruhte zwischen seinen geöffneten Beinen mit seinem harter Schwanz an meinem Rücken.

Seine Arme fuhren unter meinen hindurch und packten meine Oberschenkel an der Innenseite, zogen sie auseinander und dann über seine stämmigen Schenkel. Als er die Knie nach oben abwinkelte, kamen meine mit.

„Oh mein Gott", hauchte ich. Meine Beine konnten nicht weiter gespreizt werden, ohne mir Schmerzen zu verursachen. Ich war nackt, meine Pussylippen ungeschützt sowohl vor Niks feurigem Blick, wie auch der kühlen Luft. Ich stellte mir vor, wie Nik im Bett an mich heranstieg, seinen Mund an meinen Kitzler legte und mich zum Kommen brachte, während Sam mich festhielt und mich vielleicht, irgendwann einmal, währenddessen von hinten füllte.

Diese Bilder in meinem Kopf, meine Reaktion darauf, mich so ausgeliefert zu fühlen, so verletzlich...

Und sie wussten, dass es mir gefiel, wegen... der Kragen.

„Leg deine Hände in meinen Nacken", sagte Sam und schmiegte seine Nase seitlich an meinen Kopf.

Ich hob die Arme und verschränkte die Finger ganz so, wie er angewiesen hatte. Mein Rücken streckte sich durch und meine Brüste standen hervor.

„Von hier kann ich alle deine Sommersprossen sehen. Ah, nicht doch", warnte er mich, als ich begann, meine Arme zu lockern. „Ich werde mein Leben damit verbringen, sie alle zu zählen. Jede einzelne davon zu lecken."

„Sam", hauchte ich.

Die ganze Zeit über sah Nik uns zu, während er seine Kleidung ablegte, bis er nackt am Fuß des Bettes stand und seinen Schwanz pumpte.

Ich konnte seine Lust spüren. Gott, es war verrückt. Ich *spürte* die Lust, die Nik vom Masturbieren erfuhr. Ich spürte seine Befriedigung darüber, mich so festgehalten zu sehen. Nicht mit Seilen gefesselt, sondern nur von der Art, wie Sam mich hielt. Und von Sams Worten. Ich spürte Niks Freude darüber, dass Sam und ich seinen Befehlen folgten. Dass wir beide ihm gehörten.

Als hätte er meine Gedanken gelesen, kroch Nik übers Bett vor und küsste mich. Nicht auf den Mund, sondern auf meine Pussy, leckte an der Spalte entlang, dann setzte er seine Daumen ein, um mich zu öffnen und es noch einmal zu tun.

Ich bäumte mich vor Lust auf. Sam stöhnte. Nik knurrte.

„Diese Kragen sind ganz schön intensiv", sagte ich, erst lachend, dann stöhnend. Mein lustvoller Laut schickte einen Schauer der Begierde durch meine beiden Gefährten und dann über den Kragen zu mir zurück. Ich kam beinahe davon. Meine Hüften bäumten sich auf und ich riss an Sams Haaren. „Es ist verrückt."

Sams Hände umfassten meine Brüste, seine Daumen strichen mir über die Nippel und jeder Strich jagte mir einen heißen Schauer direkt in den Kitzler, an dem Niks Lippen festgesaugt waren. „Nik." Ich wusste nicht, was ich wollte.

Nein, das war gelogen. Ich wusste ganz genau, was ich wollte, was ich brauchte: mehr.

Stattdessen hielt Nik inne und starrte. Sah zu, wie Sams Hände meine Brüste umfassten, und seine Augen schmolzen, während er einen Finger in meine nasse Pussy schob und spürte, wie sie sich mit jedem Mal, dass Sam an meinen Nippeln zupfte und wieder losließ, um ihn herum zusammenzog und wieder lockerte. Es war erotisch. Und ich verspürte unendliche Scham. Was unmöglich sein konnte, während ihre Bewunderung und ihr Begehren wie ein

Feuer von den Kragen in meinen Körper flutete.

„Zweifelst du an unserem Verlangen nach dir?", fragte Nik, während er zwischen meinen Schenkeln zu mir hochblickte. Ich ließ meinen Blick über seinen Rücken hinunterwandern, sah seinen festen, strammen Hintern und wollte meine Finger lösen und ihn kneifen.

Ich schüttelte den Kopf an Sams Brust.

„Zweifelst du an unserem Bedürfnis, dir Freude zu bereiten?", fragte Sam, während Nik sich wieder an die Arbeit machte und einen zweiten Finger in mich schob, während seine Zunge über meinen Kitzler schnippte. „Nicht nur, während wir dich ficken, sondern bei allem, was wir tun?"

Ich streckte meinen Rücken noch weiter durch, als Sam an meinen harten Nippeln zupfte. Auf meiner Haut brach der Schweiß aus. Meine Schenkel zogen sich zusammen. „Es ist zu viel, zu... oh mein Gott, ich komme gleich."

Meine Rufe hielten Nik nicht zurück; im Gegenteil, er verstärkte seinen Einsatz. Sekunden später kam ich. Ihre gnadenlose Attacke war dazu gedacht, mir etwas zu beweisen. Ein unglaublicher Beweis dessen, dass die Kragen alles nur noch intensivierten. Verstärkten. Mächtiger machten.

Als ich mit dem Schreien fertig war, hob Nik den Kopf, wischte sich den Handrücken über seinen nassen Mund und wanderte zu mir hoch. Sein Mund war auf meinem und ich konnte mich selbst schmecken. Ich spürte die Befriedigung, die er darin fand, mich zu beglücken. Sein Verlangen, sich tief in mir zu vergraben. Ich wollte ihm das nicht verwehren. Ich wollte es ebenso sehr.

Sams Hand legte sich auf meine Oberarme, hielt sie fest, als wollte er verhindern, dass ich Nik berührte. Nik blickte hinter mich, über meinen Kopf hinweg und nickte leicht auf eine stille

Frage hin, die Sam ihm gestellt hatte. Augenblicke später richtete Sam seinen Schwanz auf meinen Eingang und drang in mich ein, vergrub sich von hinten tief in meiner Pussy, wobei meine Beine immer noch weit gespreizt waren, während er seine Hüften anhob und von unten in mich pumpte.

Ich keuchte auf, als ich es fühlte. Er war groß, dick, lang. Er füllte mich völlig aus. Nach der vorhergehenden Nacht sollte ich schon daran gewöhnt sein, ihn in mir aufzunehmen, aber das war ich nicht. Ich zog mich um ihn herum zusammen, drückte ihn und es fühlte sich anders an als alles, was ich vor ihnen gekannt hatte.

Nik hing über uns beiden und beobachtete mein Gesicht, als wäre jede meiner Bewegungen von enormer Wichtigkeit für ihn. „Fick sie, Sam. Tief. Sie braucht mehr."

Sam stieß hart in mich.

„Ahhh!", schrie ich, als ein weiterer Orgasmus in mir heranwuchs. Wie hatte er das gewusst? Die Kragen waren doch nur für Emotionen, oder nicht? Er konnte nicht wirklich meine Gedanken lesen?

Nik setzte seine Hände an meine Innenschenkel und streichelte mir liebkosend über die Haut, während Sam sich in mir bewegte. Seine sanften, kitzelnden Berührungen als scharfer Kontrast zu dem groben Ficken brachten mich zum Keuchen. Zum Heulen. Ich war überwältigt. Hatte keine Worte. Keine Gedanken.

Nichts von mir war noch übrig. Ich gehörte ihnen.

„Ein Leben mit uns wird immer so sein", sagte Sam, während er sich tief in mich bohrte, mich ausgiebig fickte. Nik hielt mich gut fest. Ich konnte nichts tun, als mich völlig hinzugeben. Meine Lust steigerte ihre. Ihre Lust eskalierte meine. „Du wirst immer Niklas an einer Seite haben, mich auf der anderen, wo wir dich beschützen, dich umsorgen. Denk nur, mein Schwanz könnte in diesem

Moment in deinem Hintern versenkt sein. Wir könnten dich beide zugleich füllen."

Ich stöhnte und konnte nichts tun, als zu empfinden und mit den Kragen war es einfach unglaublich. Ich spürte, wie sehr Sam seine Worte wahr machen wollte. Meinen Hintern nehmen.

Der Gedanke brachte mich an die Kippe. Auf keinen Fall konnte ich nun noch einen weiteren Orgasmus zurückhalten. Es war einfach zu viel. Ich kam, diesmal mit einem leisen Schluchzen, und Sam folgte mir hinterher. Meine Lust brachte seine hervor und er stieß noch einmal hart zu und hielt sich in mir versenkt, während ich den Samen von ihm molk.

Er zog sich heraus und Nik zog meine Hände hinter Sams Nacken hervor.

Nik fuhr mit einem Arm unter meine Taille und rollte sich auf den Rücken, zog mich dabei mit, bis ich auf ihm hockte.

Er küsste mich und strich mir über meinen schweißnassen Rücken, streichelte meinen Po. Ich spürte, wie Sam sich über uns beugte und Nik spreizte meine Beine, sodass Sam dazwischen konnte, diesmal von hinten.

Sam packte mich an den Hüften und hob sie hoch, und gleich darauf versenkte er zwei Finger tief in meiner Pussy.

Nik unterbrach unseren Kuss, aber beobachtete mich. Nahm jede Regung in meinem Gesicht aufmerksam auf, während Sam meine geschwollene Mitte massierte, seine Finger langsam herauszog und die glitschige Nässe über meinen Hintern verstrich.

Ich spürte, wie sich Vorfreude in Nik aufbaute, während Sams Berührungen das Feuer in mir neu entfachten, bis ich mich wand und räkelte. Bis mir völlig egal war, wer mich fickte, wer mich füllte. Ich *begehrte* nur noch.

Als ich sie schon anschreien wollte, dass einer von ihnen doch etwas *tun sollte*, rückte Nik meine Hüften zurecht und richtete seinen Schwanz auf meine Mitte. Ich wartete nicht, warf mich mit einem befriedigten Schrei an seinem harten Schwanz nach unten und er füllte mich. Dehnte mich. Gab mir, was ich begehrte.

Nik zog mich an seine Brust hinunter, was meinen Hintern wieder in die Luft streckte, wo Sam hinter mir wartete.

Niks Stöße wurden langsamer, während Sam seinen Daumen durch die nasse Stelle gleiten ließ, wo er meine Säfte über meinem Hintern verstrichen hatte. Dann drückte er seine Fingerspitze in mich hinein. Seine Berührung war langsam, sanft aber nachdrücklich. Mit Niks riesigem Schwanz, der mich weit dehnte, war der zusätzliche Druck von Sams Daumen in meinem Hintern wie ein Stromschlag.

„Es ist zu viel", hauchte ich und meine Nippel rieben über Niks nackte Brust. Ich hatte schon Erfahrung mit Analspielchen, aber nicht mit zwei Männern. Ich konnte Sams Zufriedenheit darüber spüren, dass ich ein Stück von beiden zur gleichen Zeit in mir aufgenommen hatte. Niks Schwanz war viel größer als Sams Daumen und ich war mir nicht sicher, wie beide Schwänze in mich passen sollten. Ich hatte schon Pornos gesehen und wusste daher, dass es möglich war, aber für mich persönlich hatte ich es mir nie überlegt. Bis jetzt. Bis Sam dieses unanständige Bild vor mein inneres Auge gemalt hatte. Bis sein Daumen Nervenenden in mir zum Leben erweckte, von denen ich nichts gewusst hatte.

Als mein Körper sich daran gewöhnt hatte, bewegte ich mich, rieb meinen Kitzler an Niks Bauch und zog meine Muskeln um sie beide herum zusammen. Ich war von meinen Liebhabern vollgestopft, doch ich wusste, dass sie mir noch mehr schenken wollten. Noch viel mehr.

Die Lust war jetzt schon so intensiv, dass ich mir nicht sicher war, ob ich noch mehr davon überhaupt überleben würde.

Nik schüttelte den Kopf und strich mir das feuchte Haar aus dem Gesicht. „Das hier ist echt. Es ist, was wir sind. Spüre es. Erlebe uns."

Nik ließ seine Hand zwischen unsere Körper gleiten, um an meinem Kitzler zu spielen, während Sam langsam seinen Daumen in meinen Hintern hineinarbeitete. Er dehnte mich. Es brannte.

Sams intensive Lust durchflutete mich wie Whiskey in meinem Blut, während er in meinem Hintern spielte, mich füllte, sich herauszog, um die Ränder herum rieb und mich auf mehr vorbereitete.

Auf ihn. Auf seinen Schwanz. Schon bald würde ich von beiden gefüllt zwischen ihnen sein. Von beiden gehalten. Gefickt und in Besitz genommen.

Nik bewegte sich wieder, wackelte mit den Hüften unter mir, gerade genug, dass ich schreien wollte, während Sam weiter langsam meinen Hintern mit dem

Daumen fickte. Sam beugte sich herunter und gab mir einen Kuss auf die
Wirbelsäule. Auf meine Hüfte. Mein
Hinterteil. Seine Lippen auf meiner
Haut, der Geruch von Niks Körper, wo
meine Wange an seine Brust gepresst
war, die Hitze. Ihr Verlangen. Gott, ihr
Verlangen nach mir war nicht zu leugnen. Ihre Lust. Ihre Wertschätzung.

Ich fühlte mich schön. Wild. Wie
eine völlig andere Frau, eine ohne
Zweifel oder Hemmungen. Ich war roh
und ungezähmt und außer Kontrolle.
Hätte ich nicht ihre Berührungen als
Anker gehabt, müsste ich fürchten, gar
nicht mehr zu existieren, denn die
Zellen in meinem Körper hielten kaum
noch zusammen. Ich war Sternenstaub.
Energie.

Lust.

„Komm, Lucy. Komm jetzt. Und
wisse, dass du unsere Gefährtin bist."

Ich kam auf Befehl, zog und drückte
mich um Niks Schwanz und Sams
Daumen herum zusammen. Mein

Körper reagierte instinktiv auf Niks Bedürfnis nach meiner Unterwerfung, das ich spüren konnte und auf Sams absolute und vollkommene Kontrolle, seine intensiven Gefühle, während er mich vorbereitete. Mich öffnete. Mich für seine Besitznahme dehnte.

Denn das war es, was sie tun würden.

Mich in Besitz nehmen.

Mich für immer an sie binden.

Mich gemeinsam ficken. Mich mit zwei Schwänzen füllen, so wie ich in diesem Moment von ihren zwei Gedankenwelten gefüllt war. Zwei Begierden. Zwei Alien-Männern mit unbändigen körperlichen Bedürfnissen und unerschütterlichem Verlangen nach mir.

Mir. Lucy. Ihre...

„Gefährtin." Das Wort platzte aus mir heraus. Ich hatte Niks Namen sagen wollen, oder einfach nur schreien oder ächzen oder stöhnen. Aber ich hatte meinen Gedanken laut zu Ende gesprochen, und Niks Reaktion darauf war wie die Explosion einer Atombombe in meinem Kopf.

Seine Finger vergruben sich in meinen Hüften und er hielt mich fest an sich gepresst. Sam kam erneut und sein heißer Samen ergoss sich über meinen Rücken. Seine Erlösung löste einen weiteren Orgasmus in mir aus. Nik knurrte und die gesammelten Empfindungen, die wir alle über die Kragen verspürten, wandelten sich von gewöhnlicher Lust zu etwas Wilderem. Er hielt sich zurück, bis Sam und ich beide unsere Erlösung gefunden hatten, bis unsere Gefühle sich Schicht auf Schicht stapelten und unsere Gedanken überschwemmten wie eine Flut, die einen Damm zum Bersten bringen konnte.

Nik kam mit einem Schrei und füllte mich mit seinem Samen. Ich kam erneut mit ihm, denn meine Pussy war ganz hungrig danach, zu zucken und zu pulsieren, so nahe an der Kippe und so lange, dass der Orgasmus nie zu enden schien.

Meine Worte waren wahr gewesen. Nik und Sams Lust zu meiner hinzuzufügen, das war zu viel gewesen. Das Letzte, woran ich mich erinnerte, bevor ich das Bewusstsein verlor, war, wie Nik und Sam mich sanft reinigten, bevor ich sicher und geborgen zwischen ihnen ins Bett gesteckt wurde. Genau dahin, wo ich hingehörte.

8

*N*iklas, *Frachtschiff der Koalition,*
Ort unbekannt

LORD ANDER, Sambor und ich erschienen nebeneinander aus dem
Nichts. Die Transportsonde an meiner
Brust surrte noch mit Energie, während
ich den Frachtraum absuchte, um sicherzustellen, dass Gwen und ihr Gefährte Makarios von Rogue 5 noch nicht
eingetroffen waren.

Der Raum war leer bis auf Doktor
Helion, der eine Ionenpistole auf uns ge-

richtet hatte. Wir hatten uns für dieses Treffen zwar einen sicheren Ort ausgesucht, auf einem Koalitionsschiff und in einem wenig frequentierten Sektor. Aber er war sichtlich trotzdem vorsichtig. Er traute niemandem, nicht einmal uns, die er erwartet hatte. Götter, er war es doch gewesen, der dieses Treffen gewollt hatte. Doch auch wenn Ander das Treffen schließlich arrangieren konnte, so fand es ja doch nicht in der Kommandozentrale des IC statt und somit hatte Helion nicht die Kontrolle. Das schien ihm nicht zu behagen.

Faszinierend. Diese Seite an ihm kannte ich noch nicht und es machte mich plötzlich ausgesprochen neugierig darüber, wer solche Emotionen in ihm hervorgerufen hatte.

„Wie ich gestern bereits sagte, hat meine Gefährtin sich die Mühe gemacht, bei der Einrichtung dieses Treffens zu helfen", sagte Ander. „Sie war erfolgreich. Darüber bin ich zwar dankbar, wäre aber doch lieber bei ihr im Bett

und nicht hier in einem kalten Frachtraum im tiefsten Weltall." Dies war der
zweite Tag hintereinander, an dem unsere Pflichten gegenüber der Koalition
ihn während der Feierlichkeiten zum
Tag ihrer Geburt von ihrer Seite geholt
hatten.

Ich konnte ihm das nachvollziehen,
denn auch Sambor und ich waren aus
Lucys Bett geholt worden. Für gewöhnlich lebte ich nur für meine Arbeit. Dies
war das erste Mal, dass mein Herz dafür
schlug, nach Hause zurückzukehren anstatt zu unserer nächsten Mission aufzu-
brechen.

„Gwendolyn Fernandez von der Erde
und Makarios von der Legion Kronos
werden in Bälde eintreffen." Doktor Helion steckte seine Waffe zurück in den
Halfter an seinem Bein.

Und das war auch gut so. Denn direkt hinter mir hielt Sambor seine eigene Waffe auf Helion gerichtet... für alle
Fälle. Sambor war jemand, der gerne
lachte, aber wenn es ums Kämpfen ging,

kannte er keine Scherze. Was einer der Gründe dafür war, dass ich ihn vor so langer Zeit zu meinem Sekundär erwählt hatte. Er beschützte mich mit der Präzision eines Experten und er würde Lucy auf die gleiche Art beschützen.

Unserer Gefährtin mangelte es nicht an Tapferkeit, aber ihre war von anderer Art. Sie hatte den Mut gehabt, ihren Planeten zu verlassen und das nicht einmal für einen Gefährten. Sie hatte uns erklärt, dass sie auf die Kolonie gekommen war, weil ihre Freundin Olivia vom Atlanen Wulf zur Gefährtin genommen und mit Schellen versehen worden war. Lucy lebte dort ohne einen eigenen Gefährten – oder mehreren. Und doch hatte sie beschlossen, ins Unbekannte zu reisen, auf eine fremde Welt, und das für die Familie, die sie liebte. Olivia, ihre Nichte und ihr Neffe.

Ich wollte, dass diese innige Liebe auf uns gerichtet wurde. Doch um mir Lucys Liebe zu verdienen, musste ich zu ihr zurück. „Wie ist eine Menschenfrau bei einem Gefährten aus der Legion Kronos gelandet?", fragte ich.

„Das ist irrelevant." Doktor Helion schnaubte. „Und Menschenfrau? Gwen? Wohl kaum. Sie war vielleicht einmal menschlich. Nun ist sie eine Waffe."

Sambor, der wie immer ein wenig hinter mir stand und mir den Rücken deckte, verlagerte sein Gewicht. Normalerweise hätte ich schon an dieser kleinen Bewegung erkannt, dass ihn der Doktor verärgert hatte. Mit dem zusätzlichen Gefährtenkragen jedoch verstärkte seine Abneigung gegenüber Helion außerdem noch meine Abscheu für die Wortwahl des Arztes. Der Gedanke, dass er von einer Menschenfrau, unserer Gefährtin so ähnlich, auf so klinische Weise sprach, machte ihn mir nur noch unsympathischer. Ich fragte mich, ob ihr Gefährte von Rogue 5 wusste, wie Helion über sie dachte.

„Eine Menschenfrau? Eine Waffe? Wie ist das möglich? Ich habe schon miterlebt, dass sie als Teil eines Spähtrupps gut auf sich selbst aufpassen können, aber alleine? Sie sind klein und schwach, Doktor. Wie soll eine wehrlose Menschenfrau so gefährlich sein, dass Sie so nervös an ihrem Ionenblaster rumfummeln?", fragte ich, da ich sehen wollte, was er darauf sagen würde. Er war alles andere als ein Diplomat. Vielleicht hatte Lord Ander deswegen auf meine Anwesenheit bestanden.

Der Doktor lief sichtlich nervös im Raum auf und ab. „Sie hat auf der Kolonie im Alleingang eine Nexus-Einheit vernichtet. Ich hatte versucht, sie aufzuspüren, doch sie und ihr verdammter Hybrid-Gefährte haben ein Schiff mit fortschrittlicher Tarnkappen-Technologie gestohlen. Sie sind mir bisher immer durch die Finger geglitten."

„Was für eine Art Hybrid?" Ich wusste, dass alle Mitglieder der Legionen auf Rogue 5 zum Teil Hyperionen waren. Ihre Fangzähne und ihre Aggressionen machten sie zu gefährlichen Feinden.

„Forsianer." Doktor Helion blickte
von mir zu Sambor, dann Ander. „Noch
dazu hat er umfangreiche Hive-Integrationen. Deswegen seid ihr drei hier."
Sein Blick schweifte über Anders Muskeln neben mir, dann über Sambors
Waffe. Auch ich konnte wie ein Dämon
kämpfen, wenn man mich provozierte.
Doch ich hatte gedacht, dass wir auf di-
plomatischer Mission hier waren. Um
eine Art Deal auszuhandeln.

Anscheinend waren wir aber nur
hier, um Helion als Muskelwall gegen
einen hybriden Forsia-Cyborg zu dienen.

Scheiße. Das war kein Kampf, in
dem ich stecken wollte. Es gab viel lustvollere Dinge, die ich stattdessen tun
könnte.

„Sie sind Ihnen also entwischt,
haben aber zugestimmt, als Königin Jessica sie um Hilfe bat?" Ich nutzte meine
jahrelange Übung, um meine Belustigung nicht auf meinem Gesicht auf-
scheinen zu lassen. Die Vorstellung, dass
eine Menschenfrau den pragmatischsten

und skrupellosesten Geheimagenten, den ich kannte, dermaßen nerven konnte, fand ich unterhaltsam. Trotz der Tatsache, dass ihr Gefährte ein furchterregender Bastard von Rogue 5 war.

Helion blickte grimmig.

Ander fuhr sich mit der Hand über den Nacken. „Ganz genau. Ich habe mit meiner Gefährtin gesprochen und die hat sich an Lady Rone gewandt."

Ich sortierte die Namen in meinem Kopf. „Rachel? Die Gefährtin von Gouverneur Maxim?"

Ander nickte. „Ja. Sie kennt Gwen von früher. Sie hatten sich auf der Kolonie angefreundet, bevor Gwen und ihr Gefährte abtrünnig wurden."

„Sie ist abtrünnig geworden?"

„Ich sagte doch schon, sie und dieser Forsianer haben einen Trupp Hive ausgeschaltet, darunter eine Nexus-Einheit, ein Schiff gestohlen und sind seither nicht mehr gesichtet worden", schnappte Helion.

„Für mich hört sie sich verdammt

toll an", warf Sambor ein, und ich wusste, dass er Helion absichtlich reizen wollte. Wir hatten nur so selten Gelegenheit dazu.

„Die Menschenfrau wird auf meine Bitte um Informationen oder Hilfestellung nicht reagieren", jammerte Helion.

„Warum nicht? Haben Sie sie verärgert? Ihr Vertrauen missbraucht?" Ich blickte mit großen Augen zu Ander, da ich wusste, dass Helion eine solche Frage niemals beantworten würde.

Ander warf mir einen Blick zu und seufzte dann. „Die Frauen schenken ihr Vertrauen nicht leichtherzig her. Und meine Gefährtin in die Angelegenheit mit reinzuziehen" – er warf Helion einen finsteren Blick zu – „und zwar während ihrer Feierlichkeiten, war der schnellste Weg, der mir eingefallen war, um diese Jagd abzuschließen, die Sie sich hier eingebildet haben."

„Wir brauchen sie. Ich muss erfahren, was sie weiß. Was sie tun kann." Helion dachte wie üblich gar nicht erst daran, sich zu entschuldigen.

Ander seufzte und zuckte mit den Achseln, als wollte er sagen *Seht ihr, was ich meine?* Laut fragte er mich und Sambor: „Gefällt es euch etwa, einen dritten Tag in Reihe mit Helion und seiner Nexus-Einheit zu verbringen?"

Ich antwortete nicht, denn ich wusste, dass es rhetorisch war. Keiner von uns wollte hier sein, während warme, willige Frauen auf Prillon Prime auf uns warteten.

„Glaubt mir, Lord Maxim ist nicht begeistert darüber, seine Gefährtin in eine solche Angelegenheit zu verwickeln. Aber Lady Rone ist es gelungen, Gwen dazu zu bewegen, hierher zu kommen. Unter der Voraussetzung, dass *hier* im Sektor 437 ein Frachtschiff bereitstand, mit Feuerschutz von Commander Karters Kampfgruppe, wo keine Chance bestand, dass Helion versuchen würde, auch *sie* zu fangen."

Helion biss die Zähne zusammen

und das war der einzige Hinweis, den ich brauchte, um zu wissen, dass er genau darauf gehofft hatte. Es schien, dass diese Erdenfrau clever war – oder den IC-Kommandanten zu gut kannte.

„Das ist doch nur typischer Frauentratsch", antwortete Helion, als hätte er etwas Saures in seinem Mund.

„Sie sprechen hier von meiner Gefährtin und Ihrer *Königin*. Die gemeinsam mit Lady Rone über Nacht erreicht hat, was Ihnen nie gelungen wäre. Also passen Sie auf, was Sie sagen und tun, Doktor." Lord Ander sprach leise, doch in seinen Worten lag eine Gewichtigkeit – nicht nur als Gefährte von Königin Jessica, sondern auch als kampferprobter Krieger, der seine Frau beschützen wollte, so wie alle Prillonen-Krieger das sollten. Und er war hier bei diesem Arschloch, anstatt bei ihr im Palast.

Wie für den Arzt üblich, entschuldigte er sich nicht, sondern fuhr fort. „Die Menschenfrauen haben einen überdurchschnittlichen Einfluss auf diesen Krieg." Er lief noch schneller im Raum auf und ab. „Sie scheinen ungewöhnlich anpassungsfähig und höchst kreativ zu sein. Ihr Verstand kann mit Hive-Implantaten umgehen und trotzdem die Kontrolle behalten. Es ist bemerkenswert. Die Hirnblutungen sind ein Problem, aber ich bin mir sicher, dass ich dieses Problem mit der Zeit lösen kann. Ich brauche einfach nur weitere Frauen, an denen ich arbeiten kann."

Der Arzt dachte offensichtlich nur laut nach. Doch ich war verärgert bei der Vorstellung, dass der Arzt Hive-Implantate in menschliche Gehirne pflanzen wollte, besonders in das meiner Lucy. „Das können Sie gleich wieder vergessen, Helion."

Ich sprach im Namen *aller* Erdenfrauen, nicht nur meiner.

Sambor war mindestens so wütend wie ich und unsere Gedankenverbindung über die Kragen hatte mich dazu

verleitet, mich etwas heftiger auszudrücken, als ich beabsichtigt hatte. Ich
verlor meine Fassung nicht. Niemals.

Helion blieb abrupt stehen und
blickte mich überrascht an. Als sein
Blick auf den Gefährtenkragen um
meinen Hals fiel, seufzte er. „Scheiße.
Nicht Sie auch noch."

Ander schockierte mich mit einem
Lachen. Ich hatte den mit Narben übersäten Mann noch nie lachen gehört.

„Eine Menschenfrau?", fragte Helion.

„Ja."

Er starrte mich an, als würde ich ihm
dadurch weitere Informationen über
Lucy liefern. Aber ich hatte nicht die Absicht, einen Mann mit Details zu versorgen, der gerade davon gesprochen hatte,
an Menschenfrauen und ihren Gehirnen
herumzuexperimentieren. Er würde
nichts über sie erfahren.

„Ich freue mich für Sie, Niklas", sagte
er mit dem leisesten Hauch von Höflich-
keit. „Sambor ist Ihr Sekundär?"

„Ja." Sambor antwortete für sich

selbst, was ungewöhnlich war. Üblicherweise verhielt er sich still und wachsam, während ich meinen Geschäften nachging. Doch über den Kragen spürte ich sein Bedürfnis, Helion darüber in Kenntnis zu setzen, dass es gefährlich sein würde, sich an unserer Frau zu vergreifen.

„Gut für Sie!" Er fing wieder an, auf und ab zu laufen, mit wachsender Ungeduld. „Wo ist dieses Weib?"

„Haben Sie es eilig, Doktor?", fragte Lord Ander und seine Worte trieften vor Sarkasmus. „Beachten Sie bitte, dass nach diesem Treffen – egal, was dabei rauskommt – unsere Arbeit für drei Tage still liegen wird. Die großzügige Hilfeleistung meiner Gefährtin an Sie hat mich weit von ihr weggeholt. Das Gleiche gilt wohl auch für Niklas und Sambor und ihre neue Gefährtin. Sie werden Ihre eigenen Tiefen ergründen, ihren inneren Diplomaten finden und damit alleine zurechtkommen müssen, Helion."

Helions Wangen liefen bei der Zurechtweisung durch Lord Ander rot an,
doch ich konnte es Ander nicht verübeln. Götter, ich wünschte, ich hätte
diese Worte selbst gesprochen. Ich
konnte Sambors Genugtuung spüren.

Doktor Helion wandte sich mit ge-
ballten Fäusten und angespannten
Schultern ab. Dann spürten wir alle eine
Veränderung im Energiefluss des
Raums. „Sie kommen."

Ich konnte nicht sagen, wer sich
mehr darüber freute.

Sambor zog seine Waffe und richtete
sie auf einen Bereich auf der anderen
Seite des Frachtraums, wo die Luft zu
flirren begann. Die Kammer war groß
und Ander hatte gesagt, dass er unseren
Besuchern exakte Koordinaten gegeben
hatte.

Als die beiden Gäste materialisier-
ten, stellte ich überrascht fest, dass die
Frau zur Gänze menschlich aussah. Und
hübsch. Langes schwarzes Haar hing ihr
bis an die Taille hinunter. Sie hatte

dunklere Haut als meine Lucy und ihre Augen waren dunkelbraun, ähnlich wie die einiger anderer Menschenfrauen, die ich gesehen hatte. Neben ihr stand der Riese Makarios von Kronos, wie erwartet. Womit ich nicht gerechnet hatte, war seine spürbar fehlende Besorgnis über das Wohlergehen seiner Frau. Sie stand völlig frei neben ihm, ungeschützt im Fall, dass Sambor beschließen sollte, zu feuern. Helion hielt seine Waffe im Anschlag und ich wusste, dass Ander und sein Wachtrupp ebenfalls bewaffnet waren.

„Doktor Helion, nehme ich an." Die Frau sprach zuerst, mit Blick auf den IC-Kommandanten. Die Uniform hatte ihn verraten. Der riesige Mann neben ihr blickte grimmig drein, ähnlich wie Ander, doch er war sogar noch größer als ein Atlane. Ich gaffte, konnte es mir nicht verkneifen, ihn eingehend zu mustern. Er hatte dunkles Haar, dunkle Augen und Fangzähne. Einen guten Kopf größer als jeder Atlane, dem ich je begegnet war. Ich war überrascht, keine Hive-Integrationen an seinem Körper zu sehen.

Er schnappte mir mit den Fangzähnen entgegen und ich grinste reuelos zurück. „Mir war gesagt worden, dass ihr beide einen Aufenthalt auf der Kolonie hinter euch habt. Aber ich sehe keine Integrationen." Ich fischte nach Informationen, wusste nicht, ob ich welche bekommen würde, aber das Risiko ging ich ein. Sie waren beide faszinierend. Ich war überzeugt, dass der Zorn des Makarios von Kronos eher auf Helion gerichtet war, als den Rest von uns. Ich konnte es ihm nicht verübeln. Wie es schien, verlief der heutige Tag seinetwegen für so einige anders als gewünscht.

Die Frau sprach für ihn, wohl deswegen, weil der Klotz von einem Mann nicht danach aussah, als hätte er Lust, meine Neugierde zu befriedigen. „Oh, die hat er. Schulter. Hüfte. Oberschenkel. Knie. Und einen Haufen mikroskopisches Zeug. Er war vorher schon stark. Jetzt kann er die Außenhaut eines Hive-Schiffes mit bloßen Händen aufreißen. Nicht wahr, Baby?"

Sein Grinsen war der Beweis, den ich brauchte. Ich spürte Sambors Schock über ihre Worte, vermischt mit meinem. Eine derartige Körperkraft sollte gar nicht möglich sein.

Ich nahm an, dass die Überraschung sich auf meinem Gesicht abzeichnete, denn Makarios sprach voll Stolz: „Meine Gefährtin ist noch stärker." Sein Gelächter zeigte mir, dass dies ein Scherz war.

Zumindest *dachte* ich das. Ganz sicher war ich mir nicht. Ich blickte zu Sambor mit einer Frage auf meinem Gesicht, die sich bestimmt auch deutlich über den Kragen zu ihm übertrug. Er zuckte nur die Achseln und Helion beeilte sich, die kleine Lücke in der Unterhaltung für sich zu nutzen.

„Gwendolyn Fernandez von der

Erde", sprach Helion hastig mit einer Stimme wie scharfe Taktschläge.

Sie nickte und streckte ihm die rechte Hand hin. „Sie können mich Gwen nennen."

Helion starrte auf ihre hingestreckte Hand, also ging ich um ihn herum auf die Frau zu. Ich hatte schon mit genug Menschen zu tun gehabt, um das Friedens-Signal eines Handschlags, wie sie es nannten, zu erkennen. Dies war meine Rolle: Sie davon abzuhalten, sich sofort wieder vom Acker zu transportieren, bevor wir irgendwelches Wissen von ihr gewinnen konnten.

Ich legte meine rechte Hand in ihre und verbeugte mich tief über unsere verschränkten Hände. „Ich bin Botschafter Niklas Lorvar von Prillon Prime."

Sie wartete geduldig, bis ich ihre Hand wieder losließ und das tat ich auch eilig, um ihren Gefährten nicht zu verärgern. Ich ließ sie los und richtete mich auf. Sie grinste und ihre Miene erinnerte mich an die von Rachel, wenn sie Gouverneur Maxim oder Captain Ryston neckte. Das schelmische Grinsen auf ihren Lippen erinnerte mich auch an Lucy. „Ich weiß, wer Sie sind. Rachel hat mich vollinhaltlich über jene Party informiert... dass ihr beide frühzeitig abgezogen seid. Herzlichen Glückwunsch."

Aus dem Kontext verstand ich, dass sie wusste, dass Lucy uns mit auf ihr Zimmer genommen hatte.

„Das hier ist Mak." Sie streckte gelassen den Daumen über die Schulter, um ihren Gefährten vorzustellen.

Ich neigte dem Mann mein Kinn entgegen, bot ihm aber keine Berührung an. Ich war kein Narr. „Makarios von Kronos. Es ist mir eine Ehre, Sie kennenzulernen."

Er verschränkte die Arme und starrte mich an. „Die Sache hier gefällt mir nicht, also machen Sie schnell. Wir sind hier, weil Gwen und Rachel befreundet sind." Er richtete seine Aufmerksamkeit auf Helion. „Und das ist der *einzige*

Grund." Er blickte hinter mich. „Sie müssen Ander sein?"

Ander nickte als schlichte Antwort.

„Und Sie?" Makarios blickte nun auf Sambor.

„Ich bin Sambor Treval. Ich bin der Leibwächter des Botschafters und sein Sekundär."

Makarios würdigte Anders Wächter – die alarmbereit und schweigend hinter ihm standen – mit einem kurzen Blick, doch ihre Rolle war klar.

Sams Worte brachten Gwen zum Grinsen. „Von Ihnen habe ich auch schon gehört, Sam. Es freut mich, euch alle kennenzulernen."

Sam? Hatte sie ihn gerade Sam genannt? „Woher kennen Sie Lucys Namen für ihn?", fragte ich, was völlig untypisch für mich war, sowie auch belanglos. Es war nicht mein Job, in persönliche Angelegenheiten abzuschweifen, besonders nicht meine eigenen. Aber ich konnte es mir nicht verkneifen.

Das brachte Gwen zum Lachen. „Ach, ihr Jungs seid drollig. Ich weiß alles über euch beide und Lucy. Soweit ich gehört habe, ist sie absolut liebenswert, also seid besser gut zu ihr."

Wie zum Henker wusste diese Frau, die am anderen Ende der Galaxis Hive jagte, über die Gefährtin Bescheid, die ich gerade erst kennengelernt und noch nicht einmal offiziell in Besitz genommen hatte?

Mein Schock musste mir deutlich im Gesicht gestanden sein, denn Doktor Helion lachte. „Ich habe Sie doch gewarnt. Diese Menschenfrauen haben irgendeine Art heimliches Kommunikations-Netzwerk. Sie haben Geheimnisse vor uns." Er funkelte Gwen an, aber Gwens Gesichtsausdruck war ein weiterer, den ich von Lucy kannte – die ich immerhin jeden Moment seit unserer ersten Begegnung eingehend beobachtet hatte – aber auch im Laufe der Jahre bei Königin Jessica gesehen hatte. Sie war genervt. *Genervt* wegen des mächtigsten Mannes im Geheimdienst. Nicht betroffen oder eingeschüchtert. Genervt.

„Warum bin ich hier, Helion? Rachel sagt, Sie haben eine Nexus-Einheit hinter Gittern. Gut für Sie, dass es Ihnen gelungen ist, eine zu erwischen. Aber wie ich höre, haben Sie das zur Gänze Vizeadmiralin Niobe zu verdanken. Sie ist ebenfalls Erdenfrau, nicht wahr?" Sie wartete nicht auf seine Antwort. „Was wollen Sie von mir? Legen wir los, damit diese Jungs zur Party zurückkönnen."

Ganz meine Rede.

Helion schnaubte richtiggehend. „Ich muss wissen, wie Sie die Nexus-Einheiten aufspüren und beschädigen. Ich muss genau wissen, wie Sie sie unschädlich machen. Sie haben schon zwei zerstört, von denen ich weiß. Wie?"

Sie verschränkte die Arme und schüttelte den Kopf. „Oh nein. Ich kann Ihnen nichts sagen, das Ihnen weiterhelfen würde. Sehen Sie nur zu, dass Sie uns nicht dazwischenfunken, damit wir unsere Arbeit erledigen können. Das tun können, was *Sie* nicht zustande bringen."

„Das kann ich nicht zulassen."

Ihre Genervtheit wandelte sich nun zu Aggression und ich war weise genug, einen Schritt zurückzutreten und einfach zuzusehen, wie dieser Schlagabtausch sich entwickeln würde. Dies war kein Fall mehr für Diplomatie. Ich hatte noch niemals gesehen, dass irgendjemand Helion irgendetwas verweigert hatte.

Das dürfte interessant werden.

9

S ambor

DIE SCHARFEN WORTE der Frau hätten mich schockieren sollen. Stattdessen amüsierten sie mich. Es war spannend, die Kragen zu tragen, selbst wenn Lucy nicht dabei war. Ich hätte ansonsten angenommen, dass Niklas die Frau ebenfalls unterhaltsam fand. Nun *wusste* ich, dass er das tat. Seine Belustigung verstärkte meine. Und diese Menschenfrau? So viel Feuer. Leidenschaft. Genau wie unsere Lucy. Makarios war ein glücklicher Mann. Und sobald Niklas und ich von diesem Frachtschiff runter und wieder bei Lucy im Bett waren, würden auch wir das sein.

„Hören Sie mal, Doc", fuhr Gwen fort. „Ich weiß, dass Sie diese dämliche Sonde ausgeschickt haben, die versuchen sollte, unser Schiff zu verfolgen."

„Ich…"

„Nein." Sie streckte ihm ihre Handfläche entgegen. Er war so schockiert, dass er tatsächlich zu sprechen aufhörte. „Nein. Sie werden nicht einfach dastehen und mich anlügen. Ich weiß, dass Sie es waren. Oder jemand unter Ihrem Befehl. Egal. Sie werden mich jedenfalls nicht rumkommandieren wie einen Ihrer Soldaten. Das bin ich nämlich nicht. Aber ich bin auf Ihrer Seite. Seien Sie dafür dankbar und lassen Sie mich und Mak in Ruhe, damit wir unser Ding abziehen können."

„Und was genau wäre dieses Ding?", fragte Helion mit einer hochgezogenen

Braue, als hätte er hier die Kontrolle. „Ich habe keinerlei Anzeichen dafür, dass Sie, wie Sie sagen, auf unserer Seite sind."

„Wir sind hier und Sie sind nicht tot", warf Makarios ein.

„Das bedeutet gar nichts", schnappte Helion.

Ich war da anderer Meinung. Wenn ich mir Makarios so ansah und annahm, dass er die Wahrheit über die Körperkraft seiner Frau gesagt hatte, dann bedeutete die Tatsache, dass wir noch am Leben waren, *alles*.

„Ich sehe, dass die Zeiten Sie nicht verändert haben, Doc. Sie sind immer noch ein Arsch."

Ach du Scheiße. Ich kannte diesen Blick. Die Menschenfrau verlor langsam ihre Geduld mit dem Arzt. Ich verschränkte die Arme vor der Brust und lehnte mich gegen eine Wand, um die Show zu genießen. Ich war mir sicher – wohl deswegen, weil ich zu Gunsten der Menschenfrau voreingenommen war –

dass sie Helion nicht angreifen würde, egal wie sehr er sie provozierte.

Niklas bezeichnete den Arzt als notwendiges Übel. Er war sehr gut in dem, was er tat. Prillon Prime und der Koalition gegenüber so loyal, dass es fast schon wehtat. Skrupellos und gnadenlos im Umgang mit unseren Feinden.

Was noch lange nicht hieß, dass ich seine Gegenwart genoss, besonders nicht heute. Gwen war anscheinend zum gleichen Schluss gekommen und Niklas' Belustigung stieg weiter an. Die Verbindung zwischen unseren Kragen half mir dabei, ruhiger zu bleiben – stärker, als es seine Haltung alleine ansonsten tat. Das sagte schon viel aus.

Niklas Lorvar, der kleine Scheißer, war wie Eis. Zumindest hatte ich das immer angenommen. Seit wir gemeinsam mit Lucy diese Gefährtenkragen umgelegt hatten, hatte ich viel über ihn gelernt. In erster Linie, dass das kühle, eisige Gehabe eine komplette Fassade war.

„Wir gehen, Mak." Gwen trat einen Schritt zurück und der Forsia-Cyborg bewegte sich mit ihr.

Helion trat auf sie zu und griff nach Gwens Arm, um sie aufzuhalten.

Maks riesige Hand umschloss Helions Faust schneller, als ich blinzeln konnte. Scheiße. Diese Hive-Integrationen waren kein Scherz. Er war nicht nur riesig, er war auch schnell. „Nicht doch."

„Ich bitte um Verzeihung." Helion schüttelte die Hand des Forsianers ab und trat mehrere Schritte zurück. Ein kluger Zug. Vollidiot. Die Gefährtin eines anderen fasste man *nicht* an. Nicht, wenn man seine Hand – oder seinen Kopf – am eigenen Körper behalten wollte. „Ich versuche doch nur, mein Volk zu beschützen, Gwen. Ich kämpfe schon jahrelang in diesem Krieg. Sie sind einzigartig. Sie haben eine Schwäche in der Struktur der Hive entblößt, von der wir nie gewusst hatten. Ich bitte doch nur um Informationen."

Gwen hielt inne und legte den Kopf schief, als würde sie seine Glaubwürdigkeit abschätzen. „Hören Sie, ich stelle mich nicht einfach so quer. Sie können mir nicht helfen, außer, auch Sie geraten in Gefangenschaft, werden integriert und entkommen dann mit gesundem Verstand. Selbst wenn die Ihnen dabei die gleichen Integrationen verpassen würden wie mir, müssten Sie danach einen Gefährten finden, der Sie mental verankert, damit Sie sich gefahrlos in deren Bewusstsein einklinken und sie zu sich rufen können. Und..." Ihre Pause dauerte an, als würde sie sich ihre Worte gut überlegen. „Die Hive haben mich zu dem gemacht, was ich bin. Die wollten, dass ich einen von denen zum Gefährten nehme, damit sie sehen konnten, ob ich die *Upgrades* an meine Kinder vererben würde, wenn ich welche hervorbrächte."

Mir war nicht klar gewesen, was sie alles durchgemacht hatte. Die Gefährtin eines Hive werden? Und mit ihm als Experiment Kinder zeugen? Sie war nicht einmal meine Gefährtin und ich wollte sie schützend in die Arme nehmen und den Schmerz lindern, von dem ich wusste, dass er sie motivierte und am Arbeiten hielt. Das erklärte so viel darüber, was sie antrieb. Und Makarios.

„Sie sind ein Mann. Sie würden nicht die gleichen... Integrationen verpasst bekommen wie ich", fuhr sie fort. „Sie würden nicht sein, was ich bin."

„Was sind Sie?" Sein Eifer war offensichtlich. *Das* war die Frage, die er am dringendsten hatte stellen wollen.

„Ich bin, was die sind."

Helions Körper wurde mit jeder vagen Antwort, die sie gab, nur noch angespannter. „Und was genau wäre das?", fragte er mit schnippischer Stimme.

Sie zuckte erneut die Schultern und ich verbarg ein Grinsen, als Helion sie anblitzte. „Ich weiß es nicht."

„Das ist nicht besonders hilfreich", entgegnete er. Zum allerersten Mal sah ich ihn die Fassung verlieren. Er fuhr sich mit der Hand über den Nacken.

„Es ist die Wahrheit."

„Also haben die Sie ausgewählt, weil Sie weiblich sind?"

Sie zuckte mit den Schultern. „Ausgewählt? Das bezweifle ich, aber als sie mich in die Finger bekamen, erkannten sie eine... Gelegenheit. Die haben schon Millionen weiblicher Wesen von anderen Welten integriert, darunter auch Menschenfrauen. Vielleicht sogar Milliarden, seit dieser Krieg begonnen hat. Ich weiß nicht, warum die das ausgerechnet mit mir gemacht haben."

Ich wusste, warum, aber das würde ich nicht aussprechen, solange Helion im Raum war.

Sie war ein Mensch. Anpassungsfähig. Leidenschaftlich. Sie vertrug die technologischen Veränderungen und konnte trotzdem weiterhin unabhängig denken. In erster Linie Soldatin. Alles, was Helion gerade über Menschenfrauen gesagt hatte, spulte sich in meinem Kopf nochmal runter, sofort gefolgt von einem heftigen und verzweifelten Drang danach, zu Lucy zurückzukehren und sicherzustellen, dass es ihr gut ging. Wir waren viel zu weit von ihr weg, als dass ich sie über die Kragen spüren konnte, und diese Abwesenheit machte mich... nervös.

Und obwohl es Gwen sichtlich gut ging, war das bei ihr etwas Anderes— wegen dem, was die Hive mit ihr gemacht hatten. Ihr Leben hatte eine andere Richtung eingeschlagen. Die von anderen bestimmt worden war. Das würde ich Lucy nicht antun.

Diese besessene Sorge um sie war neu und sie war mir nicht willkommen.

Sichtlich genervt warf mir Niklas einen Blick über die Schulter zu, mit der klaren Botschaft, ich solle meine Emotionen wieder in den Griff kriegen. Es war unmöglich.

Ich blickte mich um. Ich war nicht der einzige Mann im Raum. Wir alle – abgesehen vielleicht von Helion – hatten Mitgefühl für die Menschenfrau, die sich dieses Wortgefecht mit dem IC-Kommandanten lieferte. Mann oh Mann. Mitgefühl, Bewunderung, Stolz. Ich musste mich beherrschen. Ich gefährdete die Mission und Niklas' Wirksamkeit, wenn ich so abgelenkt war. Aber ich konnte nicht aufhören, an unsere Gefährtin zu denken. Ihre weiche Haut. Ihre heiße, nasse Mitte um meinen Schwanz. Ihre Lippen. Ihren Duft. Die Laute, die sie von sich gab, wenn wir sie berührten und zum Kommen brachten, wieder und wieder und wieder.

Noch ein Blick und ein genervter Blitz über den Kragen.

Ionenpistolen. Forsia-Hybriden. Fangzähne. Hive-Späher. Kampfschreie. Krieg. All das füllte meinen Kopf und ich nutzte es, um meine Emotionen wieder unter Kontrolle zu bekommen.

Niklas wandte sich wieder Gwen zu, während ich mich auf alles andere konzentrierte als auf unsere wunderschöne, begierige Frau. Ihre roten Locken. Ihre grünen Augen. Die Art, wie ihre Emotionen durch meinen Kopf rauschten und mir direkt in den Schwanz fuhren. Ihr Zorn? Ihr Glück? Ihre Zufriedenheit?

Ihre Gedankenwelt hatte die meine berührt, und mein Körper reagierte darauf mit *Begehren*.

Ander sprach. „Meine Dame, die Nexus-Einheit ist hierher transportiert worden und befindet sich konkret für den Zweck dieses Treffens auf diesem Schiff. Wir versuchen schon monatelang, ihn zu verhören, bisher ohne Erfolg. Wir hatten gehofft, dass Sie in der Lage sein würden, mit ihm zu sprechen und ihn zum Reden zu bewegen. Wenn Sie können, brechen Sie in seine Gedanken ein. Der Doktor erhofft sich davon, einen taktischen Vorteil für den Krieg zu gewinnen."

Ich blinzelte Ander entgegen, musste seine Worte erst verdauen. Er hatte es in die Wege geleitet, dass Gwen hierherkam, auf neutralen Boden. Sobald das gelungen war, musste er Helion gezwungen haben, seinen Hive-Gefangenen nur für sie auf dieses Schiff zu überstellen.

Niklas hatte davon auch nichts gewusst und an den wirbelnden Gefühlen, die über den Kragen hereinkamen, erkannte ich, dass er den Plan ebenso verstanden hatte.

Helion ließ jeden Anschein fallen, dass er die Kontrolle über dieses Treffen hatte und bat Gwen höflich um Hilfe. „Es war unsere Hoffnung, dass Sie... einen Zugang zu ihm finden könnten wie niemand sonst."

Makarios knurrte, als hätte Helion seine Gefährtin gebeten, sich den Hals aufzuschlitzen.

Niklas hatte die Drohung von ihrem Gefährten anscheinend auch bemerkt. „Gwen, es war nicht unsere Absicht, Sie in Gefahr zu bringen. Wir haben alles in unserer Macht stehende probiert, um die Nexus-Einheit dazu zu zwingen, unsere Fragen zu beantworten. Und doch ist er gegen alle unsere Mittel gewappnet."

Und mit *Mitteln* meinte Niklas alles, was wir dem Hive-Anführer entgegen-schleudern hatten können. Wir hatten ihn ausgehungert. Auf alle möglichen Arten gefoltert. Wir hatten es mit Güte probiert. Logik. Rätselaufgaben. Die Nexus-Einheit war... einzigartig. Und Gwen schüttelte schon den Kopf.

„Tut mir leid, Nik." Nun hatte sie also beide unserer Spitznamen verwendet. Die Namen, die nur Lucy uns verliehen hatte. Und ich wusste, dass Helion mit einer Sache recht hatte – diese Menschenfrauen standen irgendwie miteinander in Verbindung. „Ich stelle mich nicht einfach so quer. Wirklich nicht. Ich kann absolut nichts tun, außer ihn zu töten und dafür müsste ich ihm den Kopf abreißen."

„Du wirst ihn nicht anfassen", knurrte Makarios und sie drehte sich herum und legte ihm eine Hand auf den Arm.

„Ich weiß. Keine Sorge, Mak. Ich glaube, die wollen ihn am Leben lassen."

„Vollidioten.“

Tja, der Riesenkerl nahm sich kein Blatt vor den Mund. Ich verbarg mein Grinsen, während der Krieger in mir sich mit dem großen Klotz eng verbunden fühlte. Ich war kein Diplomat wie Niklas, kein Arzt wie Helion, der den Nexus auseinandernehmen und studieren wollte. Ich zerstörte meine Feinde. Damit blieb mein Leben simpel.

„Ich brauche die Nexus-Einheit lebend“, bestätigte Doktor Helion.

„Es tut mir leid. Ich kann Ihnen nicht sagen, wie die mich zu dem gemacht haben, was ich bin. Ich habe keine Ahnung, warum sie mich genommen haben und nicht irgendeine andere Frau. Ich kann Ihnen sagen, dass ich sie hören kann und dass die sich von Natur heraus von mir angezogen fühlen.“

„Die können sie verdammt noch mal aufspüren wie Everis-Elitejäger.“ Mak, sichtlich unglücklich über diese Tatsache, war ihr ins Wort gefallen.

„Wenn mir einer nahe ist, dann

wirke ich wie ein Köder auf ihn. Die glauben, dass ich einer von denen bin. Dass sie bei mir sicher sind. Sie sind arrogant. Sie denken, dass sie mich kontrollieren können. Mich benutzen."

„Können sie aber nicht?", fragte ich.

„Nein. Wenn ich meine Gedanken mit ihren verschmelze, ist Mak immer da und wartet auf mich. Auch er ist in meinem Kopf. Er hält mich bei Verstand und bringt mich zurück. Irgendwie haben uns unsere Integrationen und unsere Besitznahme so miteinander verbunden, dass ich sie ködern kann, ohne den Verstand zu verlieren. Ich locke sie heran und dann töten wir es."

„Warum verhören Sie sie nicht vorher noch?", fragte Helion.

„Mit denen reden zu wollen ist Zeitverschwendung. Deren Verstand ist nicht wie unserer, Doktor. Sie sind..." Sie schien nach Worten zu suchen. „Sie sind leer, wie ein Abgrund. Sie verschlingen. Ich kann es nicht erklären, aber er wird nicht mit mir reden. Ich kann hier weg, oder ich kann ihn töten."

„Sie klingen, als wären Sie sich da ganz sicher", sagte ich. „Haben Sie es je versucht, einen von denen zu verhören?"

Gwen blickte mich an, dann Niklas, dessen Blick ernsthaft war, aber auch voller Respekt. Der Blick, den sie uns zuwarf, war völlig anders als der, den sie für Helion übrig hatte. „Nein. Verdammt." Sie warf Makarios über die Schulter hinweg einen Blick zu, der mit seinem Kinn auf seine Gefährtin deutete, als wollte er sagen, dass es ihre Entscheidung war. Sie seufzte. „In Ordnung. Ich werde es versuchen. Aber es geht wahrscheinlich so aus, dass wir ihn töten."

„Tun Sie das nicht", befahl Helion.

Makarios knurrte, als wären die Präferenzen von Doktor Helion nicht länger von Bedeutung.

Ich konnte nicht anders, als ihr ein kleines Lächeln zuzuwerfen, völlig uncharakteristisch für die persönliche Leibwache eines Botschafters.

Niklas stieß einen zustimmenden Laut aus, ein Halb-Knurren. „Ich bin mir sicher, dass Doktor Helion über Ihr Hilfsangebot höchst erfreut ist."

Alle blickten zu Helion, dessen Lippen ganz schmal waren, während er knapp nickte. Vielleicht hatte er Angst, den Mund aufzumachen und alles zu ruinieren, indem er Gwen verärgerte. Das war gut möglich.

„Unter einer Bedingung."

Gwens Aussage bewegte Nik dazu, einen Schritt in ihre Richtung zu machen. „Was ist die Bedingung?"

„Sie, Sie und Sie." Sie deutete auf mich, Niklas und Ander. „Die Wachen auch. Soweit ich weiß, wart ihr alle auf Jessicas Party, nicht wahr?"

Ich neigte meinen Kopf leicht, um es zu bestätigen.

„Ihr macht für mich einen Country Line Dance. Hier. Jetzt. Oder wir haben keinen Deal." Sie hob einen Arm und drückte auf einen Knopf an der dort eingebauten Kommunikator-Einheit. Die seltsame Musik, die wir alle auf der Party gehört hatten, hallte uns entgegen und sie grinste völlig schamlos.

„Was verlangen Sie da, Weib?" Helion hatte seine Hände vor sich gefaltet, wohl um sicherzugehen, dass er sich nicht wieder vergaß und nach Gwen griff. Wir alle wussten, dass Makarios einen zweiten Versuch, seine Gefährtin zu berühren, nicht tolerieren würde.

Ihr Grinsen war purer Schalk. „Sie auch, Doc. Sie sind ein kluges Kerlchen. Bestimmt können Sie sich die Schritte abgucken."

„Schritte? Ich weiß doch nicht einmal, was dieses... Line Dance ist. Ist es eine Art Diagramm? Was für Schritte?" Es gab also etwas, wovon Helion keine Ahnung hatte. Und die Tatsache, dass es sich dabei um einen lachhaften Erden-Tanz handelte, erfreute mich überaus.

Sie blickte zu mir hoch, dann zu Ander. „Nun, Lord Ander, General und insgesamt harte Nuss. Tun wir nun, oder wie?"

„Wir tun nicht."

Ich seufzte fast vor Erleichterung, als Ander Gwens Aufforderung mit einer erhobenen Hand und einem sehr scharfen Nein abwies. Ich erwartete, dass sie widersprechen würde, aber sie überraschte mich damit, in schallendes Gelächter auszubrechen. Makarios neben ihr schien ebenso verwirrt zu sein wie Doktor Helion. Sie setzte sich eine Hand an die Hüfte. „Ist ja gut. Ich hab' doch nur Spaß gemacht. Aber Mann, das wäre total viral gegangen."

„Viral? Haben Sie etwa eine infektiöse Biowaffe an sich?" Helion zog von irgendwo in seiner Uniform einen Re-Gen-Stab hervor und machte einen Schritt auf Gwen zu. Makarios bewegte sich schneller und stellte sich ihm in den Weg.

Gwen schlang einen Arm um den ihres Gefährten und zerrte sachte daran. „Ist schon in Ordnung, Mak. Ich habe mir einen Scherz mit ihnen erlaubt."

Makarios blieb stehen, aber er bewegte sich nicht zur Seite, sodass Helion nicht an sie heran konnte. Gwen aber ging um ihn herum. „In Ordnung, Doc. Wo ist der blaue Bastard? Knacken wir seine Birne."

„Ich danke Ihnen." Helion steckte seinen ReGen-Stab weg und machte zwei Schritte zur Tür. „Er ist in einer elektromagnetischen Zelle ein Level unter uns in Gewahrsam."

„Sie blockieren seine Sendesignale?"

„Ja", bestätigte Helion.

„Clever." Sie fasste nach Makarios' Hand und er umschloss sanft ihre viel kleinere Faust mit seiner. Es schien fast, als würde die Frau Trost suchen.

„Verursacht Ihnen die Vorstellung Leid, mit dieser Nexus-Einheit sprechen zu müssen?", fragte Niklas für uns beide. Er hatte die gleiche Geste beobachtet wie ich.

„Oh ja", sagte sie mit einem Blick

über die Schulter zu uns. „Waren Sie schon mal in einem dieser Köpfe drin?"

„Nein."

„Glaubt mir, die saugen einen ein wie ein schwarzes Loch und man will sich nicht mal dagegen wehren."

Makarios knurrte und seine Fangzähne fuhren zu voller Länge aus. Der Kerl war ein richtig grässliches Monster, wenn er wollte. „Er wird dir nichts anhaben, Gefährtin."

Gwen lächelte zu ihm hoch, als wäre er ihr gesamtes Leben. „Ich weiß. Ich vertraue dir."

Der Forsia-Hybride zog sie an seine Seite und blickte zu Helion. „Na dann los, Doktor. Ich will nicht länger verweilen als notwendig. Wir sind auf diesem Schiff angreifbar."

„Oh ja", fügte Gwen hinzu. „Jeder Hive in Reichweite wird neugierig werden und meine Sendefrequenz untersuchen wollen."

Wie auf ein Stichwort bebte das Schiff unter unseren Füßen, als die

Schilde des kleinen Frachters womöglich Treffer aus einer Ionenkanone abfingen.

Ich erstarrte. Ebenso wie die drei Wachen von Ander. Götter, wir alle erstarrten. Sofort drückte Ander auf seinen Kommunikator. „Captain? Ander hier. Bericht."

Der Pilot des Schiffes, ein respektabler Kapitän von Viken, den wir auf unseren meisten IC-Missionen einsetzten, antwortete sofort. „Wir werden angegriffen. Zwei Hive-Spähschiffe."

Das Schiff bebte erneut und ich klatschte mit einer Hand gegen die Wand, um mein Gleichgewicht zu halten.

„Jetzt sind es drei", fuhr er fort. „Und meine Scanner zeigen noch weitere an. Ankunft jeden Moment. Ich empfehle Evakuierungs-Protokoll. Umgehend."

Ein lauter Knall ertönte und das Schiff schwankte zur Seite. Makarios wurde gegen die nächste Wand geworfen und Gwen mit ihm, da er seine

Arme um sie geschlungen hatte. Ich taumelte, hielt mich an einem Stützbalken fest und griff nach Niklas. Er war direkt neben mir und ich zog ihn an den Balken heran, während Ander sich gegen die Wand gegenüber stützte. Sein Gesicht war blutverschmiert, wo er gegen die Wand geprallt war. Er wischte sich mit verzogenem Gesicht darüber.

Doktor Helion hatte sich nicht bewegt. Seine Füße waren irgendwie mit dem Boden verankert...

„Ich will ein Paar dieser Stiefel, Helion." Niklas' Stimme war mehr ein Befehl als eine Bitte. Er war so verdammt ruhig, selbst während eines Angriffs.

Helion wirkte gereizt. „Scheiße." Er funkelte Gwen an. „Es ist Ihretwegen. Die sind Ihnen gefolgt. Wie lang brauchen die, um Sie aufzuspüren?"

Sie zuckte mit den Schultern. „Auf der Erde gibt es einen Spruch. *Ich hab's doch gesagt.* Es kommt immer darauf an, wie nahe sie sind."

„Sie hätten mich warnen können", schnappte Helion.

„Als ich sagte ‚Jeder Hive in Reichweite wird neugierig werden und meine Sendefrequenz untersuchen wollen', war das eine Warnung, Sie Esel."

Makarios knurrte ihn an. „Sie vergessen, dass dieses Treffen auf Ihre Bitte hin stattgefunden hat, Prillone. Die sind hier, um Gwen zu holen und das wird nicht geschehen. Wir reisen ab." Mit diesen Worten fasste er um Gwen herum und drückte auf eine Transporter-Sonde an ihrer Schulter. Seine war weniger als eine Sekunde später aktiviert und die beiden verschwanden.

„Die Götter seien verdammt!" Helion drückte auf seinen Kommunikator. „Captain. Not-Gefangenentransport einleiten. Bringen Sie den Gefangengen umgehend zurück in die Kommandozentrale. Sofort evakuieren."

„Ja, Sir."

Ein weiterer Knall ertönte und Helion blickte hoch, als die Tür sich öffnete.

Dort stand ein atlanischer Kampflord im Bestienmodus. Der Scheißkerl war riesig. Und sauer. Er griff nach Helion. „Mitkommen. Sofort."

„Wer ist das?", fragte ich, in der Annahme, dass Niklas die Antwort wusste. Im Allgemeinen wusste er mehr über die Spione und ihre Spielchen, denn mir waren sie egal.

„Kampflord Bahrr. Er ist vom IC. Gehört zu Helions persönlichem Einsatzteam."

Helion stand immer noch am gleichen Fleck und seine Stiefel fixierten ihn irgendwie auf dem kippenden Schiff. „Mit mir ist alles in Ordnung", sagte er dem Atlanen. „Sieh zu, dass du nach unten kommst und sorge dafür, dass die Nexus-Einheit wieder gut in der Kommandozentrale ankommt."

Die Bestie war nicht erfreut über den scharfen Ton in Helions Stimme, aber er brummte, befolgte den Befehl und verschwand wieder im Korridor. Die Tür schloss sich hinter ihm.

Helion blickte auf uns beide und Ander. „Verschwindet von diesem Schiff. Wir werden das Treffen vertagen müssen."

Vertagen? Als wäre nicht klar, dass dieses Treffen zu Ende war.

Mit diesen Worten aktivierte er seine eigene Transportsonde und verschwand.

Ich blickte zu Niklas. „Verschwinde von hier."

„Ander zuerst." Niklas blickte zu Lord Ander, Gefährte von Königin Jessica, Freund und Sekundär zu Prime Nial und General der Koalitionsflotte. Ich stimmte zu. Wir konnten ihn nicht zurücklassen. Seine Wachen umringten ihn, aber die hatten keine Befehlsgewalt. Sie würden bleiben und kämpfen, den General beschützen.

„Hau verdammt nochmal von hier ab, Ander", befahl Niklas.

Ander verzog das Gesicht, aber nickte uns zu und tappte auf seine Transportsonde. Sein Körper wurde durchscheinend und im gleichen Mo-

ment erschütterte eine heftige Explosion
das Schiff. Von einem Augenblick zum
nächsten knickten die Innenwände ein
und ich spürte einen plötzlichen und ex-
trem schmerzhaften Druck in meinen
Ohren, als die Luft aus dem Frachtraum
gesaugt wurde und Niklas und mich mit
sich riss.

10

Lucy, Privatquartier, Palast

„SÜßE, wach auf."

Ich schniefte und rieb meine Wange an dem weichen Kissen. Es roch nach Sam und ich lächelte, erinnerte mich an alles, was wir in der vergangenen Nacht miteinander angestellt hatten. Er war vielleicht Niks Sekundär, aber er war auch für sich gesehen beeindruckend. Alles an ihm, bis hin zu seinem

Schwanz. Ich hatte Schmerzen beson-
derer Art und an besonderen Stellen, die
ich nicht erwartet hätte. Ich zog mir die
Decke fester um die Schultern, rollte
mich zur anderen Seite und streckte die
Hand nach Nik aus, der ebenfalls einen
beeindruckenden Schwanz hatte und
ihn auch einzusetzen wusste. Doch ich
fand nur ein leeres Bett vor.

„Lucy."

Diese tiefe Stimme gehörte weder
Sam noch Nik. Ich riss die Augen auf.
Ich war völlig verblüfft, dass sich sonst
noch ein Mann in meinem Zimmer aufhielt und zwar einer, der nicht hierher-
gehörte. Der ganz bestimmt *nicht* mir
gehörte.

Neben meinem Bett kniete Jessica
mit ihrem Gesicht so nahe an meinem,
dass sich unsere Nasenspitzen beinahe
berührten. Neben ihr stand in voller
Größe Ander, mit verschränkten Armen.
Er trug die gleiche Kampfrüstung, die
Sam für gewöhnlich trug. Sein Gesicht

war dreckverschmiert und... war das etwa getrocknetes Blut?

Ich zog mir die Decke noch höher, um auch ganz sicher meinen nackten Körper zu bedecken. „Was ist los?"

„Nun, wir... ähm..." Jessica blickte mich an, dann wandte sie ihren Blick ab. Sie biss sich auf die Lippe und Tränen füllten ihre Augen. Dann holte sie tief Luft und blickte mir in die Augen. „Es ist etwas passiert. Zieh dich erst mal an, dann können wir dir alles erzählen."

Ich blickte zu Ander hoch, dessen Kiefer zusammengebissen war, als wollte er mit den Backenzähnen Felsen zerbeißen. „Wo sind Nik und Sam?"

„Genau darüber wollen wir mit dir reden. Aber zuerst anziehen", sagte sie. Ihre Stimme war so ruhig. Geradezu beruhigend.

„Sprich, jetzt gleich", entgegnete ich.

Ander nickte, wenn auch etwas widerwillig.

„Etwas ist passiert", sagte sie noch

einmal. „Ander war heute mit Sam und Nik auf Mission. Sie hatten ein Treffen."

Ich stütze mich auf einen Ellbogen hoch, immer darauf achtend, zugedeckt zu bleiben. „Ja, mit dem Typen vom IC. Sie haben mir davon erzählt, zumindest soweit sie konnten. Die Fortsetzung der gestrigen Besprechung. Darum mussten sie so früh schon los."

Jessica blickte zu Boden, dann wieder zu mir. „Sie waren alle bei dem Treffen, und ihr Schiff wurde angegriffen. Ich kenne die Details nicht, aber die Hive... also..."

„Das Schiff wurde zerstört", sagte Ander.

Zerstört?

„Ich... ich will mich jetzt doch anziehen", sagte ich, denn ich brauchte eine Minute für mich. Konnte nicht verarbeiten, was mir gerade erzählt worden war – oder vielmehr, was mir *nicht* erzählt worden war. Zumindest nicht mit Worten. Der grimmige Ausdruck auf Anders Gesicht gab mir einen Stich in die Brust und meine Augenlider brannten vor Mühe, alles zu verleugnen.

Jessica nickte, stand auf und ging zu meinem Kleiderschrank, während Ander sich auf dem Absatz umdrehte und sich von mir abwandte, um den Anstand zu wahren. Sie kam mit einem Sweatshirt und Leggings zurück. Denen, die Nik so gut gefallen hatten. Ich stieg aus dem Bett und zog sie mir über, während mein Hirn weiter verarbeitete.

Das Schiff war zerstört? Aber Ander ist doch hier. Er war doch auch auf dem Schiff. Oder nicht? Also wo waren Nik und Sam?

Ich zog mir das lange Haar aus dem Kragen des Sweaters heraus und sagte: „Was meint ihr damit, es wurde zerstört? In die Luft gejagt? Eine Bruchlandung? Was?"

Ander warf einen Blick über seine Schulter, und als er sah, dass ich angezogen war, drehte er sich herum. Ich stand ganz klein in meinen schäbigsten Klamotten vor ihm, während Jessica in ihrem prächtigen prillonischen Kleid neben mir stand, stets die elegante Königin.

Ich redete weiter. „Wo sind Nik und Sam? Sind sie verletzt? An dir klebt Blut. Du warst auch bei dem Treffen, nicht wahr? Bist du verletzt?"

Ander blickte an sich hinunter. „Keine Verletzungen, die ein ReGen-Stab nicht wieder hinbekommt."

Was hieß, dass er verletzt war, aber zuerst hierhergekommen war, um mich zu sprechen, bevor er seine Wunden versorgen ließ.

„Dann bring mich zu Sam und Nik." Wenn sie verletzt waren, wollte ich sie sehen.

Ander schüttelte den Kopf, seine Hände zu Fäusten geballt. „Auch wenn der Kragen um deinen Hals nicht die blaue Lorvar-Farbe hat und du nicht offiziell die Gefährtin von Lord Niklas bist, ist es meine Pflicht, dir diese schlechte Nachricht zu überbringen."

Mein Herz fing an, panisch zu schlagen und mir wurde schwindelig.

Ich hatte schon eine Vorahnung, was er sagen würde und doch hielt ich den Atem an.

„Als General der Koalition muss ich dir mit großer Trauer mitteilen, dass heute Morgen Niklas Lorvar und Sambor Treval beide vermutlich im Einsatz ums Leben gekommen sind, als das Frachtschiff, auf dem sie sich befanden, von mehreren Hive-Spähschiffen angegriffen wurde. Die Außensensoren am Schlachtschiff Karter konnten eine Explosion verzeichnen und verloren danach den Kontakt mit dem Schiff."

Meine Knie gaben nach und ich fiel aufs Bett. Starrte zu Ander hoch.

„Was meinst du, sie verloren den Kontakt?" Nein. Einfach nur Nein. Mein Gehirn weigerte sich, die Worte zu verarbeiten. „Du warst doch dabei. Was ist mit ihnen passiert? Du bist zurückgekommen. Warum sind sie nicht mit dir mitgekommen?"

Seine Lippen pressten sich zu einem dünnen Strich zusammen. „Sie bestanden darauf, dass ich zuerst abreise. Sie stellten meine Sicherheit über ihre eigene."

Gott, das klang genau nach etwas, das Nik und Sam tun würden. Verflucht nochmal.

Ich spürte, wie ein Schluchzen in mir aufwallte, doch ich unterdrückte es mit kalter, harter Logik. „Was ist mit den Rettungskapseln? Vielleicht ist das Schiff irgendwo bruchgelandet und sie sind noch am Leben. Wurde ein Suchtrupp nach ihnen ausgeschickt?"

Ander neigte den Kopf und Jessica setzte sich neben mich und nahm meine Hand, während Ander meine Fragen beantwortete und noch zusätzliche Informationen lieferte.

„Die Karter hat mehrere Sonden ausgeschickt, um nach Trümmern zu suchen. Sie haben stundenlang gesucht, doch es gab keine Lebenszeichen, keine Kommunikator-Signale. Sie konnten nichts finden außer..."

Er hielt inne, und ich wollte nach

ihm treten. „Sprich diesen Satz zu Ende. Was haben sie gefunden?"

„Bruchstücke des Schiffs. Trümmer." Er schauderte und Jessica wischte sich rasch eine Träne von der Wange. Ich erkannte, dass die beiden ihre Emotionen über den Gefährtenkragen austauschten. Natürlich. Der Schmerz auf Jessicas Gesicht ließ alles viel zu echt werden.

„Sie können nicht tot sein." Ich leckte mir über meine plötzlich ganz trockenen Lippen. „Sie waren doch gerade noch hier." Ich deutete auf das Bett.

Jessica rückte näher und lehnte ihren Kopf an meinen. Ihre Hand drückte meine Finger, und entweder waren ihre sehr warm, oder meine sehr kalt. „Süße, ich weiß. Es tut mir so leid."

„Warum? Warum wart ihr dort? Warum mussten sie dorthin? Was war so verdammt wichtig?" In mir staute sich langsam Zorn auf und ich hielt mich daran fest, nutzte ihn, um den Schmerz zu vergraben, der sich wie ein Eispickel in meinen Schädel bohren wollte.

„Sie waren nicht hinter uns her", erklärte Ander. „Wir hatten ein Treffen mit einer Menschenfrau organisiert, die über einzigartige Hive-Implantate verfügt. Sie und ihr Gefährte haben zugestimmt, sich mit uns zu treffen."

„Gwen. Du meinst Gwen." Ich hatte von der berühmten Menschenfrau gehört, die eine Nexus-Einheit der Hive in den Tunneln unter der Kolonie aufgespürt und getötet hatte. Sie hatte auch in der Kampfarena wie ein Dämon gekämpft. Gouverneur Maxim hatte sie gezwungen, sich einen Gefährten zu nehmen, da sie ständig Ärger vom Zaun brach.

Ich hatte die Geschichte während meiner Zeit auf der Kolonie gehört und insgeheim bewunderte ich sie. Sie klang toll. Ein richtig harter Brocken. Und sie sollte der Grund dafür sein, dass meine Jungs tot waren? Das ergab alles keinen Sinn.

„Wenn die Hive Gwen wollten,

warum haben sie dann das Schiff in die Luft gejagt?", fragte ich.

„Sie war bereits davontransportiert. Die waren wahrscheinlich sauer deswegen."

Ich blickte zu Ander hoch. Er trug Narben, war sichtlich Krieger, doch er hatte keine Integrationen wie Prime Nial. Wie Gwen und Makarios und jeder andere auf der Kolonie.

„Die Hive haben keine derartigen Emotionen. Die werden nicht sauer." Ich war schon lange genug auf der Kolonie, um das eine oder andere aufgeschnappt zu haben. Außerdem hatte ich genug Zeit mit Olivia und Wulf verbracht, um so einiges über seine Zeit bei den Hive erfahren zu haben. Ich hatte Wulf viele Fragen gestellt. Und Doktor Surnen. Selbst Bruan, denn er schien es zu mögen, dass ihm jemand zuhörte. Sauer? Hive? „Die waren nicht sauer. Das kann ich dir versprechen." Ich dachte an alles, was ich über Gwendolyn Fernandez und die Hive gehört hatte und die Dinge, die sie tun konnte. „Gwen braucht keinen Raumanzug. Das weißt du, oder? Die dachten wohl, sie können alle an Bord töten und Gwen würde ins All hinausschweben, wo sie sie nur noch einzusammeln brauchen."

„Was meinst du damit, dass Gwendolyn keinen Raumanzug braucht?"

Ich zuckte die Schultern, und Schmerz und Zorn kämpften in mir, bis ich mich taub fühlte. „Frag Doktor Surnen."

Jessica rieb mir mit der Hand über den Rücken und ihre Berührung machte mich aus unerfindlichen Gründen wütend. Ich wollte nicht, dass sie mich berührte. Ich wollte von niemandem berührt werden außer Nik und Sam und die waren nicht hier. Würden nie wieder hier sein.

Ich wollte alleine sein. Ich wollte alles in Ruhe verarbeiten.

Ich wollte mich zu einem Ball zusammenrollen und weinen und dafür brauchte ich keine Zeugen. Ich blickte von Jessica zu Ander und rang um meine Selbstbeherrschung.

„Ich bin so froh, dass es dir gut geht", sagte ich zu Ander. Das war ich auch. Ich freute mich für ihn, für Prime Nial, für Jessica. Auf seltsame Art und Weise war ich auch stolz auf Nik und Sam. Sie hatten Ander beschützt, hatten darauf bestanden, dass er zuerst davontransportierte, denn so waren sie nun mal. Beschützer. Loyal. Perfekt.

Und fort.

Jessica sprang auf, ging zu Ander und umarmte ihn von der Seite. Sein Arm legte sich um ihre Schultern und ihr Kopf schmiegte sich an ihn. „Ich habe nur überlebt, weil meine Wachen und ich unsere Transportsonden rechtzeitig aktivierten, ansonsten..."

„Wärst du noch auf dem Schiff gewesen, als es explodierte. Genau wie Nik und Sam", sagte ich, über die Situation im Klaren.

„Das wäre ich gewesen, richtig."

„Also wenn du nicht dort warst,

kannst du nicht wissen, dass sie tot sind", schlussfolgerte ich. „Ich meine, sie könnten am Leben sein. Verwundet. Vielleicht ist ein Teil des Schiffes davongeschleudert worden und irgendwo gelandet. Vielleicht ist die Kommunikationsanlage kaputt und wir wissen es einfach nicht."

Ander schüttelte den Kopf. „Sie waren tief im Weltraum, zu weit entfernt von irgendeinem Planeten, um eine solche Reise zu überstehen. Es tut mir leid, Lucy. Sie konnten dort nirgendwo hin."

„Sie sind wirklich tot", sagte ich und sprach aus, was er nicht konnte.

Er nickte.

Jessica kam wieder zu mir und nahm mich in den Arm. „Meine Liebe, es tut mir so leid."

Ich wusste nicht, wie ich mich fühlen sollte. Ich kannte Nik und Sam erst seit zwei Tagen. Verdammt, nicht einmal das. Ich war vor weniger als achtundvierzig Stunden auf Prillon Prime eingetroffen.

Und doch hatte ich die beiden in der kurzen Zeit nicht nur kennengelernt, sondern mich ihnen auch hingegeben und das genossen. Ich hatte nichts zurückgehalten, hatte mir zum ersten Mal in meinem Leben genommen, was ich wollte. Hatte mich schön gefühlt. Begehrt. Feminin. Würdig.

Die Sache mit Nik und Sam hätte nur ein flüchtiges Abenteuer werden sollen. Eine wilde Romanze. Ein wenig Spaß. Das hatten sie geändert, als sie mir den Gefährtenkragen anboten. Als ich ihre Emotionen *gefühlt* hatte, ihr Begehren, ihr besitzergreifendes Verlangen danach, mich zu beschützen. Mich zu ficken. Mir Lust zu bereiten. Sie hatten mich ruiniert und nun wollte ich keinen anderen. Ich wollte *sie*. Sie gehörten mir.

„Warte!" Ich fasste an den Kragen um meinen Hals. Den Kragen, den ich erst in der Nacht zuvor entgegengenommen hatte. „Ich würde doch wissen, dass sie tot sind. Ich würde es *spüren*."

Jessica und Ander schüttelten beide

den Kopf, doch Jessica ergriff das Wort. „Ach, Süße. Nein. So funktioniert es nicht." Sie fasste sich an ihren eigenen roten Kragen. „Sie sind keine Jäger. Die Kragen funktionieren auf diese Entfernung nicht. Ich konnte nicht spüren, dass Ander in Gefahr war, oder die Gefühle teilen, die er während des Hive-Angriffes hatte. Die Kampfgruppe war zu weit entfernt. Ich wusste erst davon, als er im Transportraum ankam. Mir fiel der Frühstücksteller aus den Händen, so hart erwischten mich die Gefühle. Ich rannte mit meinen Wachen im Schlepptau aus dem Palast, um so schnell wie möglich bei ihm an der Transportstation zu sein."

Ich konnte weder Nik noch Sam *spüren*. Weder positiv noch negativ. Ich spürte sie einfach überhaupt nicht. Die Dinge, die ich zuvor durch den Kragen gespürt hatte, bombardierten mich in diesem Moment nicht. Hunger, Begierde, Lust, Befriedigung, Verlangen, Glück... all diese Dinge waren in der

Nacht zuvor noch überwältigend gewesen. So, wie ich jetzt hier saß, war der Kragen nichts als ein schlichtes Halsband, etwas Hübsches um meinen Hals.

Etwas Schwarzes. Etwas, das nun niemals blau werden würde.

„Sie haben mich nicht in Besitz genommen", gestand ich.

„Ich weiß, Liebes." Jessica streichelte mir über den Rücken.

Natürlich wusste sie das. Alle wussten es, denn mein Kragen war schwarz. Würde immer schwarz bleiben.

„Ich habe den königlichen Ball heute Abend abgesagt, Lucy. Alle sind ganz aufgewühlt. Die Hive haben so tief im Raum der Koalition schon seit Monaten keinen Angriff mehr ausgeübt. Die Könige und Königin von Viken sind auf ihren Planeten zurückgekehrt. Commander Karter und die anderen aus der Kampfgruppe Karter sind auf ihre Schiffe zurückgekehrt, um so gut wie möglich helfen zu können. Andere prillonische Krieger sind neuen Missionen

zugeteilt worden und davontransportiert. Die von der Kolonie warten auf
dich, um dich nach Hause zu bringen.
Ich habe Olivia auf der Erde kontaktiert.
Sie reist von dort zurück, um bei dir zu
sein."

„Jetzt in diesem Moment?"

„Ja. Sie sind schon alle bei der Transportplattform."

Ich nickte und bewegte mich rasch,
warf die paar Dinge, die ich mitgebracht
hatte, in eine Tasche. Ich wollte alles behalten, was ich hatte. Ich wollte mich an
sie erinnern. Ihre Berührungen. Die
Laute, die sie von sich gaben, als sie
meinen Körper feucht und hungrig nach
ihnen vorfanden. Ihre Hitze, die mich
umgab, während ich schlief.

Zuhause. Warum fühlte sich der Gedanke, in mein winziges Quartier auf
dem kargen Planeten zurückzukehren,
so leer an? Warum fühlte ich mich so
leer? Ich war nicht bereit gewesen, in Besitz genommen zu werden. Das hatte ich
Nik und Sam auch gesagt. Sie hatten mir

gesagt, wie sie für mich empfanden – dass sie mich für immer wollten. Ich hatte durch den Kragen hindurch gespürt, wie wahr das war.

Und das tat so verdammt weh. Das Potenzial dafür, was wir hätten sein können, war in die Luft gejagt worden. Von den Hive zerstört.

Als ich fertig war, begleitete mich Jessica aus meinem hübschen Zimmer hinaus. Ich spürte Anders Gegenwart hinter uns. „Nial steckt in einer Besprechung mit dem Kriegsrat... doch ich wollte hier sein und mit dir sprechen."

„Ich verstehe." Ihr anderer Gefährte war der Anführer von ganz Prillon Prime und allen Koalitionsplaneten. Er hatte eine große Aufgabe und der Verlust von Botschafter Niklas Lorvar, Sambor und einem Schiff mit wer weiß wie vielen anderen Kriegern darauf in einer unerwarteten Hive-Attacke war ein Problem. Ich hatte gar keine Probleme. Ich war nur eine Make-Up-Beraterin, die nun alleine auf der Kolonie leben würde. Und das höchstwahrscheinlich für immer, da keiner der Jungs an mir interessiert war. Nicht so wie Nik und Sam. Nun, da ich eine wahre Seelenverbindung erlebt hatte, wollte ich mich nicht mit weniger zufriedengeben.

Wir trafen Lindsey, Kjel, Mikki und die anderen von der Kolonie beim Transportraum, wo das Wochenende seinen Anfang genommen hatte. Alle waren still, von der früheren Aufregung war nichts zu spüren. Die Damen umarmten mich und Lindsey legte mir ihren Arm um die Schulter. Noch vor zwei Tagen waren wir ganz begierig darauf gewesen, zu feiern und auf Prillon Prime Spaß zu haben. Mein Plan war es gewesen, flachgelegt zu werden.

Und ich hatte genau das bekommen, wofür ich hergereist war. Und nahm auch nichts sonst wieder mit nach Hause, außer... einem gebrochenen Herzen. Ich war am Boden zerstört. Zwei kluge, tapfere und umwerfende Männer waren tot. Ich liebte sie, auch wenn ich das wohl ein wenig zu spät erkannte.

Ich blickte zu Lindsey hoch. „Was in Vegas passiert", sagte ich, dann brach ich in Tränen aus.

11

*N*iklas, *Nicht-kartierter Asteroid,*
Vier Tage später

WIR DUCKTEN uns hinter eine Felswand
aus schwarzen Karbon-Brocken auf dem
Asteroiden und sahen zu, wie die Hive-
Späher durch die Überreste unseres zer-
störten Frachtschiffs schwärmten. Es war
der zweite Spähtrupp in den letzten paar
Stunden. Vier von uns hatten den Absturz überlebt. Vier von uns, die nun auf
diesem von der Koalition vergessenen
Felsbrocken festsaßen. Ich, Sambor,

Kampflord Bahrr und Captain Var – ein Prillone, der zum Zeitpunkt der Explosion vor dem Raum gestanden hatte, in dem das Treffen stattfand. Der Rest der Passagiere des Frachtschiffs war entweder rechtzeitig davontransportiert oder ins Weltall gerissen worden. Nach Tagen auf diesem Höllenplaneten musste ich mich langsam fragen, ob ein schneller Tod nicht die bessere Option gewesen wäre. Nun verbrachten wir unsere Zeit damit, den Hive aus dem Weg zu gehen, am Leben zu bleiben und auf Rettung zu warten.

Sambor lag flach auf dem Felsen über uns und zielte mit seiner Ionenflinte in Richtung der Hive. Er war praktisch reglos, beobachtend. Sein Flüstern kam laut und klar durch meinen Helm herein.

„Drei Späher. Drei Soldaten in schwerer Rüstung."

„Scheiße." Das Ächzen des Atlanen passte hervorragend zu meiner Laune, aber in seinem Fall rührte es daher, dass

er ernsthaft verletzt worden war. Sein
Körper war übersät mit einem Flickenteppich aus Verbrennungen und Schnitt-
wunden, die kein normalsterbliches
Wesen überleben dürfte. Wir hatten
nach dem Absturz einen ReGen-Stab im
Wrack gefunden und der hatte eine
Weile funktioniert. Doch ohne Möglichkeit, ihn wieder aufzuladen, war er inzwischen so nutzlos wie einer der Steine,
auf denen wir lagen. Der Atlane über-
lebte inzwischen nur noch aus reiner
Willenskraft.

Var hockte auf der anderen Seite des
kleinen Plateaus, auf das wir nach dem
Absturz geklettert waren. Seine Ionenflinte zielte in die andere Richtung, um
unsere Flanke zu decken. Über uns
schuf ein Felsüberhang die Illusion
einer Höhle. Es war nicht viel, aber die
Felszunge hatte uns bisher gut vor den
scharfen Strahlen des naheliegenden
Sterns geschützt und uns auch vor den
Patrouillenschiffen des Hive versteckt.
Bisher.

Das elektromagnetische Feld des Asteroiden ließ unsere Kommunikationsgeräte verrückt spielen. Wir konnten miteinander sprechen, aber die Verbindung war schwach und abgehackt. Und unsere Transportsonden? Wir hatten es versucht, aber sie hatten es nicht geschafft, an eine Transportstation anzudocken. Wir waren gestrandet – ohne Möglichkeit, mit der Koalition zu kommunizieren und ohne Weg runter von diesem Felsen.

Wenn nicht bald Hilfe eintraf, würden wir alle sterben. Oder Schlimmeres. Falls *Schlimmeres* eintreffen sollte, wussten wir alle, dass es ein Segen gewesen wäre, ins Weltall gerissen zu werden.

Warum hatte ich gedacht, dass mein Job so wichtig war? Warum hatte ich das, was wir mit Lucy hatten, für Helion riskiert? Die Hive würde später immer noch da sein. Das war für uns alle in diesem Moment mehr als offensichtlich. Ich hätte Helion absagen sollen. Das

Treffen hinauszögern. Bei Lucy bleiben. Die Pflicht hatte mich fortgerufen.

Aber sieh an, was mir das eingebrockt hatte. Uns allen.

Scheiße.

Sambor hielt einige Minuten lang still und wir alle schwiegen, warteten mit ihm. Es gab sonst nichts zu tun, als über alle meine Schwächen nachzudenken. Er war hier der Experte, ein Veteran zahlreicher Hive-Schlachten. Er wusste, was er tat, wusste, wie er uns am Leben erhielt. Wenn ich schon mit jemandem auf einem Hive-verseuchten Asteroiden bruchlanden musste und überleben wollte, dann war es nur gut, dass er es war.

„Sie sind drin", raunte Sambor. „Ich komme runter. Nicht schießen."

„Nicht einmal zum Spaß?", fragte ich, was sowohl Bahrr als auch Var zum Lachen brachte.

Sambor glitt am Felsen hinab und landete mir gegenüber. Ich saß neben Bahrr und überwachte die Anzeige auf

seiner Rüstung, die seinen Gesundheits-
zustand anzeigte. Ich konnte nichts für
ihn tun, aber ich fühlte mich wohler damit, zu wissen, dass seine Werte stabil
waren. Sambor streckte seine Beine aus
und legte sich die Ionenflinte über die
Schenkel. „Captain Var, komm hier rü-
ber. Wir müssen reden.“

Der Prillon-Krieger bewegte sich
lautlos wie ein Phantom und bildete ein
Dreieck in unserem kleinen Bereich, mit
Sambor an einer Ecke, Bahrr und mir an
der dritten. Er hockte sich nieder. „Wie
lautet der Plan?“

„Was für ein Plan?“, fragte ich. Es gab
keinen Plan. Dies war keine diplomati-
sche Mission mit geplanten Besprechungen und Abendessen. Es war auch
keine Mission, deren Details im Voraus
geplant waren.

Sambor blickte zu mir und der fehlende Humor in seinen Augen war er-
schreckend. „Wir haben drei Tage lang
auf ein Aufklärungsteam gewartet. Niemand wird kommen. Gemessen an der

Explosion und dem Wrack nehme ich an, die Koalition hat uns bereits für tot erklärt."

Ich wollte widersprechen, irgendeine Art Hoffnung aussprechen, besonders für Bahrr, aber ich wusste, dass Sambor wohl recht hatte. „Was sollen wir machen?" Ich war es gewohnt, die Verantwortung zu haben. Aber hier? Jetzt? Ich konnte eine Ionenpistole abfeuern oder einen Feind im Nahkampf ausschalten. Ich konnte argumentieren oder schmeicheln oder komplimentieren. Ich war ein Meister darin, Leute einzuschätzen und herauszufinden, was sie wollten. Ich war ein Diplomat, kein Überlebenskünstler. Ich hatte die Koalitionsakademie genau wie alle anderen absolviert, aber wir hatten sehr unterschiedliche Pfade eingeschlagen. Und hier waren wir nun, wieder vereint. Ich musste hoffen, dass das Schicksal uns vier zusammengebracht hatte, damit es uns hier auch wieder rausholen konnte.

„Du bleibst hier bei Bahrr", befahl

Sambor. Ich war hier nicht in meinem Element, er aber sehr wohl. „Var und ich legen einen Hinterhalt und stehlen eines der Hive-Schiffe. Dann fliegen wir zurück in den Koalitionsraum und beten auf ein Wunder. Oder darauf, dass wir nicht wieder vom Himmel geschossen werden, und zwar diesmal von unseren eigenen Kampffliegern."

Ich verzog mein Gesicht über diesen furchtbaren Plan. „Wir können ein Hive-Schiff nicht fliegen. Wir würden das verdammte Ding nicht einmal starten können. Sie haben gute Sperren und wir haben keinen Zugangscode."

Var erhob sich aus seiner Hocke und thronte über uns. „Ich kann es fliegen."

Das brachte mich zum Stocken. „Wie das? Du bist ein guter Pilot, aber wie willst du an den Sicherheitsprotokollen der Hive vorbeikommen?"

Var tappte sich seitlich an den Kopf, als wäre das eine Antwort. Als ich ihn wartend anstarrte, zuckte er die Achseln.

„Frag Helion. Ich kann es fliegen. Glaub mir."

Ich blickte von Var zu Sambor. Ein Diplomat zu sein, hieß anscheinend nicht, auch alle Geheimnisse zu kennen. „Du hast davon gewusst?"

„Ja."

Seine Antwort ließ mich taub werden. Ich wusste, dass Helion Geheimnisse hatte, aber ein Koalitionskämpfer, der sich in die Sicherheitsprotokolle des Hive hacken und eines ihrer Schiffe übernehmen konnte? Das war etwas, über das ich informiert hätte werden sollen.

„Bringt mich dort runter. Ich kann helfen." Bahrr ballte beide Hände zu Fäusten, als wollte er seine Bestie für einen letzten Kampf hervorrufen, bevor er starb.

„Nein. Du gehst nirgendwo hin." Ich hatte hier nicht das Kommando, aber es war deutlich, dass Bahrr keine Hilfe sein würde. Das machte seine Verletzungen nur noch schlimmer – zu wissen, dass sie ihn behinderten und uns womöglich alle in Gefahr brachten. Er war das schwächste Glied, aber ich würde ihn auf keinen Fall zurücklassen. Ich hatte keinen Zweifel, dass Sambor und Var ähnlich dachten. Mein Blick traf den von Sambor. „Ich kann helfen."

Sambor richtete sich auf und reichte mir sein Scharfschützen-Ionengewehr. „Du kommst diesen Hive bloß nicht zu nahe. Aber du kannst schießen."

„In der Tat."

„Die Hive kommen alle dreiundsechzig Minuten vorbei."

„Wie bitte?"

„Exakt alle dreiundsechzig Minuten", bestätigte Var.

Sambor sortierte seine Ausrüstung, während der Prillone zusah. Anscheinend war er bereits aufbruchbereit. Sambor überprüfte den Ladezustand seines Ionenblasters, einen zweiten Blaster, ein Messer, das durch Rüstung schneiden konnte und seinen Luftvorrat. Wir hatten nur noch wenige

Stunden übrig, bis die Luft in unseren
Anzügen aufgebraucht sein würde. Wir
hatten schon mehr als einen Tag lang
nichts gegessen. Das hieß: Jetzt
oder nie.

Als er zufrieden war, blickte er zu
mir, dann zu Bahrr.

„Ich werde zum Wrack hinunterge-
hen, sie heraus und von ihrem Schiff
weg locken. Ich werde von der Felsfor-
mation hinter dem Schiff auf sie zukommen. Niklas, du wartest auf mein Signal,
dann schießt du so viele wie möglich
von hier oben aus nieder."

„Und was ist mit mir?", fragte Var.

Sambors konzentrierter Blick richtete sich auf ihn. „Du suchst das nächstgelegene Schiff und stiehlst es. Dann
bringst du es hier rauf, um Niklas und
Bahrr einzuladen."

„Und du?", fragte ich.

„Wenn die Luft rein ist, gebe ich ein
Signal, dass ihr euch herabsenken und
die Ladeluke öffnen könnt. Wenn nicht,
dann verschwindet verdammt noch mal

von diesem Felsbrocken und blickt nicht zurück. Ich töte so viele, wie ich kann."

Scheiße. Nein. „Nein, Sam."

Ich setzte bewusst Lucys Kosenamen für ihn ein, um ihn daran zu erinnern, dass er ebenfalls von diesem Felsen runter musste. Wir hatten uns um eine Gefährtin zu kümmern. Ein Leben zu leben. Auf diesem dämlichen Asteroiden zu sterben, war nicht Teil des Plans. „Ich lasse dich nicht hier zurück. Es ist meine Schuld, dass wir hier sind. Es war mein Pflichtbewusstsein, das uns in diese Lage gebracht hat."

Sambors Zorn rauschte über den Kragen herein, bis ich an der Kraft seiner Gefühle fast erstickte.

Rage. Schmerz. Entschlossenheit. Keine Furcht. Da war keine Furcht.

„Und mein Pflichtbewusstsein wird uns hier rausholen. Du kannst später noch deine Prioritäten überdenken." Er beugte sich so nahe zu mir, dass sich unsere Helme beinahe berührten. „Hör mir jetzt gut zu. Wir sind wegen dem Hive hier. Klar, vielleicht solltest du dir überlegen, ein paar Tage freizunehmen, aber du hast jetzt endlich im Auge, was wirklich wichtig ist. Lucy. Und sie braucht es, dass einer von uns überlebt. Du bist ihr Gefährte. Du hast sie für dich beansprucht. Du hast den Lorvar-Kragen um ihren Hals gelegt und mich zu deinem Sekundär ernannt. Du wirst überleben. Du wirst dich um sie kümmern. Das ist dein Job, deine Pflicht. Du wirst von diesem Felsen entkommen."

„Und was ist mit dir, Sam? Du wirst dich nicht opfern, um mich zu retten. Das werde ich nicht zulassen."

„Wenn uns die Aktion gelingt, kommen wir alle nach Hause. Aber wenn du von hier weg musst, um dafür zu sorgen, dass Bahrr versorgt wird und Var seinen Hintern zu seiner nächsten Mission bringt, dann wirst du das gefälligst tun." Sambor prüfte das Ionengewehr und reichte es mir. Er deutete nach oben. „Dort. Genau da, wo ich vorhin war. Vielleicht noch drei

Schritte weiter links. Das sollte dir den besten Blick auf das Wrack geben. Schieß nicht, bevor ich das Signal gebe." Sambor hielt mir das Gewehr entgegen, bis ich es nahm, aber die Diskussion war für mich noch nicht vorbei.

„Und was ist mit Lucy? Du wirst ihr das Herz brechen. Sie kann dich nicht verlieren."

Sambor ignorierte mich und ging davon, dicht gefolgt von Var. Ich wollte aufstehen, doch Bahrrs riesige Hand landete auf meinem Brustkorb und schob mich auf den Boden zurück. „Lass ihn gehen."

„Das kann ich nicht." Er war Lucys sekundärer Gefährte, mein lebenslanger Freund. Ich hatte dieses Opfer nicht verdient.

„Du kannst und du musst", antwortete er durch zusammengebissene Zähne hindurch. „Ist das nicht genau der Grund dafür, warum ihr Prillonen einen Sekundär ernennt? Damit einer von euch immer übrig bleibt, um für eure Frau zu sorgen?"

Ich antwortete nicht. Es war keine richtige Frage. Der Atlane kannte die Antwort bereits. Ich sah zu, wie Sambor und Var davongingen und hinter einem der schwarzen Felsvorsprünge verschwanden. Ich wusste, dass sie von dort aus geschützt in die Felsspalte hinunter klettern konnten, in der unser Schiff bruchgelandet war. Wo sie einen Hinterhalt für mindestens sechs Hive legen wollten, möglicherweise mehr.

Ich lehnte mich an den Felsen zurück und starrte in die funkelnden Sterne hinauf, die sich über meinem Kopf erstreckten wie Milliarden glitzernder Juwelen. Das Weltall war voller extremer Gegensätze. Absolute Schönheit und absolute Gefahr. Die Zeit, die wir auf diesem Asteroiden verbracht hatten, war ein ausgezeichnetes Beispiel dafür. „Wir haben sie noch nicht in Besitz genommen."

„Aber sie gehört dir." Bahrr

schnaubte vor Schmerz, das erste Anzeichen von Schwäche, das er gezeigt hatte. Mein Herz machte einen besorgten Sprung. Wir mussten von diesem Asteroiden runter. Niemand würde kommen. Niemand wusste, dass wir hier waren.

„Sie gehört mir. Mir und Sambor."

„Ist dein Sekundär in der Lage, alleine sechs Hive auszuschalten?"

Ich überlegte. „Ja. Das ist er." Die Worte waren nicht gelogen. Sambor hatte das Ausbildungsprogramm für die Spezialeinheiten der Koalition absolviert. Er hatte jahrelang gegen die Hive gekämpft, bevor er sich in einem, wie er es bezeichnete, Luxusleben als mein Leibwächter niederließ. Er hatte das getan, weil ich ihn darum gebeten hatte und weil der IC begonnen hatte, mich in zunehmend gefährlichere Situationen zu entsenden. Prime Nial hatte gefordert, dass jemand zu den Legionen auf Rogue 5 entsandt wird, den Sektor Null erkundet und die anderen gesetzlosen Regionen, die genau genommen im

Koalitionsraum lagen. Er hatte mich ent-
sandt. Ich hatte Sambor mitgenommen.
„Er hat mir mehr als nur einmal das
Leben gerettet."

„Dann lass ihn seine Arbeit machen
und kehr nach Hause zurück. Seine Strategie ist gut, und das weißt du. Kümmer
dich um eure Frau. Oder wünschst du,
dass sie euch beide verliert?"

Das ließ mir das Blut in den Adern
gefrieren. Ich konnte nicht zulassen,
dass Lucy einen solchen Verlust erfuhr.
Solchen Schmerz. „Nein. Das ist inak-
zeptabel."

Bahrr schnaubte. „Das habe ich mir
auch gedacht. Richte dir deinen Kopf gerade, Prillone. Kämpfe wie ein Atlane,
wie eine verdammtes Bestie, um zu ihr
zurückzukommen."

„Ich bin keine Bestie." Ich war ein
verdammter Prillonen-Krieger, der eine
Gefährtin und einen Sekundär zu beschützen hatte. Ich würde tun, was
Sambor befohlen hatte. Er vertraute darauf, dass ich in Stellung war und ihm

Feuerschutz gab. Ich würde ihn nicht im Stich lassen.

Kühl und ruhig kletterte ich auf den Felsen, von dem Sambor gemeint hatte, er würde mir einen strategischen Vorteil verschaffen. Ich wartete geduldig, während die Minuten verstrichen und dachte an nichts anderes als ans Töten. Überleben. Sicherstellen, dass Sambor und ich beide zu unserer Gefährtin zurückkehren konnten.

Lucy hatte nicht weniger verdient als das, was ich ihr versprochen hatte. Mich, und zwar zur Gänze. Jede Zelle und Faser und jeder Funke Willenskraft gehörte ihr. Ich würde bis zu meinem letzten Atemzug darum kämpfen, zu ihr zurückzukehren... und Sambor mitzubringen.

Er würde nicht viele Hive töten müssen. Ich würde die Scheißer von hier aus fertigmachen. Jeden. Einzelnen.

Helle Lichter erschienen über uns und ich sah zu, wie drei Hive-Schiffe in unmittelbarer Nähe unseres Wracks lan-

deten, da sie wahrscheinlich Sambors
Gegenwart dort verzeichnet hatten. Er
war in den naheliegenden Felsen verborgen und hielt still wie der Stein um
ihn herum und seine Rüstung wechselte
die Farbe, um sich an die schwarzen
Felsen hinter ihm anzugleichen. Er war
nicht mehr als ein Schatten.

Var konnte ich überhaupt nicht sehen, doch ich wusste, dass er in der
Nähe lauerte, die Landung der Hive beobachtete und entschied, welches Schiff
er nehmen sollte.

Wie erwartet kamen aus jedem Schiff
drei Hive heraus und näherten sich dem
Wrack. Eines der Trios bestand aus ausgesprochen großen und schwer bewaff-
neten   Hive-Soldaten,
höchstwahrscheinlich gefangene und
integrierte prillonische Krieger. Die
zweite Dreiergruppe bestand aus Hive-
Spähern. Klein, schnell und aggressiv.
Sie sahen aus, als könnten sie früher
Menschen gewesen sein, Viken oder
sogar Everis-Jäger. Und dann war da

noch die letzte Gruppe. Einer von ihnen war größer als jeder Mann, den ich je gesehen hatte – und dazu zählte ich auch Atlanen im Bestienmodus. Er war dunkelblau und trug keine Rüstung. Sein Gesicht sah aus, als wäre seine Haut aus Stücken zusammengesetzt und mit Silberfäden zusammengenäht worden, und sein gesamter Körper war ein Flickenteppich aus unterschiedlichen Blautönen.

Ich hatte diese Art Muster erst an einer Kreatur gesehen – der Nexus-Einheit, die Helion in der Kommandozentrale weggesperrt hatte. Dieser sah fast genauso aus wie die Nexus-Einheit, die vor unserem Absturz auf unserem Schiff gefangen gewesen war. Der blaue Scheißer, den Helion so dringend ausfragen hatte wollen, dass er das Treffen mit Gwen im tiefsten Weltall vereinbart hatte.

Aber diese Nexus-Einheit war nicht der gleiche Mann wie der Gefangene. Die silberne Linie, die das Gesicht dieser

Einheit durchzog, war ein diagonaler Schlitz von der Stirn bis zum Ohr, nicht vertikal wie sie es bei Helions Gefangenem gewesen war.

Was zum Henker hatte eine Nexus-Einheit auf diesem wertlosen Asteroiden zu suchen? Und auf unserem Schiff?

Dann erinnerte ich mich an Makarios' Worte. *Die können sie verdammt noch mal aufspüren wie Everis-Elitejäger.*

Die Nexus-Einheit und sein Team jagten nach Gwen. Dachten, sie wäre hier. Suchten nach Spuren. Mir stockte der Atem. Ich wurde zornig, als ich erkannte, mit welcher Verzweiflung sie sie verfolgten. Kein Wunder, dass Gwen und Mak sich nur so widerwillig zu einem Treffen überreden ließen.

Die blaue Nexus-Einheit war mindestens zwei Kopf größer als die Späher und Soldaten. In seinem Nacken befanden sich große schwarze Beulen, die sich mit seiner Wirbelsäule verbanden wie Finger, die sich in die Haut an seinem Rücken gruben. Er wandelte frei, ohne Schutzanzug, obwohl es auf der Oberfläche des Asteroiden keine Atmosphäre gab und frostig kalt war. Ich beobachtete ihn durch das Zielfernrohr des Gewehrs und schauderte beim Anblick des puren, leblosen Schwarz in seinen Augen. Bei ihm waren zwei weitere Hive, deren Art ich noch nie zuvor gesehen hatte. Sie waren riesig – nicht so groß wie die Nexus-Einheit selbst, aber größer als die anderen. Stämmiger.

Scheiße. Diese beiden waren Atlanen. Oder waren es zumindest einmal gewesen. Die drei bewegten sich zusammen, die Nexus-Einheit in der Mitte und die integrierten atlanischen Hive-Bodyguards an seinen Seiten, um ihn zu beschützen. Die anderen sechs Hive, die Soldaten und Späher, schwärmten über der Oberfläche aus und umringten das Wrack, hoben Trümmerteile auf und scannten sie.

Wir waren im Arsch. Insgesamt neun Hive. Wir hätten sie vielleicht ausschalten können, aber nicht mit zwei integrierten atlanischen Hive in Bestien-Größe und einer Nexus-Einheit. Ich sagte kein Wort, um zu verhindern, dass unsere Kommunikatoren sie auf uns aufmerksam machten. Aber ich wollte Sambor zuschreien, verdammt nochmal von dort zu verschwinden und abzuwarten – auf die nächste Hive-Truppe zu warten, die vielleicht keine Nexus-Einheit dabeihatte. Und keine integrierten atlanischen Kampflords.

Einfach nur... warten.

Doch wir hatten keine Wahl. Uns ging die Luft aus und unsere Anzüge würden noch maximal einen Tag durchhalten.

Was, wenn die Nexus-Einheit abzog und keine weiteren Hive mehr nachkamen? Was, wenn es keine weitere Gelegenheit mehr geben würde, ein Schiff zu stehlen?

Wir mussten kämpfen. Es war nahezu unmöglich, einen Atlanen in voller Rüstung an einem guten Tag mit Standardwaffen in die Knie zu zwingen. Und das hier waren integrierte Atlanen, scheinbar in einem permanenten Bestienmodus festgefroren.

Ich würde auf den Kopf zielen müssen... und nicht verfehlen.

Scheiße.

Wie steuerte die Nexus-Einheit die integrierten Atlanen? Und nicht nur einem, sondern gleich zwei davon?

Ich konnte nichts mehr ausrichten. Sambor hatte sie bestimmt ebenfalls gesehen. Selbst, wenn ich es riskierte, ihn über die integrierten atlanischen Hive zu warnen, wusste ich, dass meine Warnung auf taube Ohren fallen würde. Er würde die Sache durchziehen, so oder so, komme was wolle. Nein, er tat, was sein Training ihm vorschrieb, was er gelernt und im Kampf praktiziert hatte. Er tat seinen Job, unter allen Umständen. Wenn ich mit ihm diskutierte, würde ich mich damit einem Befehl widersetzen und das aus Dummheit. Tief in mir wusste ich, dass er mit seinem Plan recht hatte. Er war fest entschlossen, mich –

uns alle – lebend von diesem Planeten zu holen und ich musste seinen Befehl respektieren. Seine Ehre. Alles andere würde nicht nur seine Befehlsgewalt unterminieren, sondern auch meinem Sekundär gegenüber respektlos sein. Ich würde ihn nicht auf solche Weise entehren.

Sambor wartete, bis die Nexus-Einheit das Wrack betreten hatte und von der Bildfläche verschwunden war. Einen der voll integrierten Atlan-Bodyguards hatte er mit hineingenommen. Die andere Bestie stand am Eingang, als müsste er den Nexus vor seinen eigenen Spähern und Soldaten beschützen.

Interessant.

Mit einem Gebrüll, das eines Atlanen würdig gewesen wäre, sprang Sambor aus seinem Versteck hervor und eröffnete das Feuer. Er schaltete die zwei Späher aus, die ihm am Nächsten standen und verschwand dann hinter einem Felsen.

Die drei schwereren Hive-Soldaten

bewegten sich als Einheit, um ihn zu umzingeln. Ich hätte einen von ihnen niederstrecken können, doch ich wartete ab. Sambor hatte mir das Signal noch nicht gegeben. Dieser sture Bastard.

Ich atmete langsam, blieb ruhig, hielt mein Gewehr auf den Eingang zum Wrack gerichtet und hoffte, dass die Nexus-Einheit sich zeigen würde.

Sekunden später tat er das auch.

„Jetzt!", schrie Sambor den Befehl und ich drückte den Abzug.

Die Nexus-Einheit kassierte einen Treffer in die Brust und taumelte rückwärts, fiel aber nicht. Ich feuerte noch einmal. Und noch einmal.

Der integrierte atlanische Hive bei ihm brüllte vor Rage und raste hinter der Nexus-Einheit her, der sich bewegte wie... Scheiße, war er schnell. Ich hatte noch nichts gesehen, das sich so schnell bewegte, besonders nach einem Treffer aus einem Ionengewehr. Nicht einmal einen Elitejäger von Everis.

Er kam auf mich zu, in Richtung des Schusses, den er abbekommen hatte.

Ich feuerte erneut, doch der Schuss schien von der Nexus-Einheit abzuprallen, als würde ich mit Kieseln werfen, anstatt ihn mit einer unserer stärksten Waffen zu beschießen. Er kam immer näher.

Ich hastete zurück zu Bahrr, um ihm auf die Beine zu helfen. „Wir müssen hier weg. Sofort!"

Bahrr taumelte einen Moment lang, dann richtete er sich auf. „Was ist los?"

„Sambor nimmt sich drei Soldaten und einen Späher vor. Zwei von ihnen hat er schon erledigt." Ich zerrte an ihm, damit er sich schneller auf das andere Ende der kleinen Felszunge zubewegte, wo ich hinter einem leichten Vorsprung in Deckung gehen und versuchen konnte, den Nexus aus nächster Nähe zu töten. „Wir haben eine Nexus-Einheit und zwei integrierte atlanische Hive im Bestienmodus, die auf uns zu preschen, und zwar schneller als alles, was ich je gesehen habe."

Sein schmerzerfüllter Blick traf meinen. „Zwei Atlanen?"

Ich nickte. „Ja. Und sie können nicht mit der Nexus-Einheit mithalten. Lauf!"

Bahrr stützte sich auf meine Schulter und wir liefen zu den Felsen, von denen ich wusste, dass sie der beste Ort für unser letztes Gefecht sein würden. Bahrr lehnte sich an einen Felsen und war zum Großteil hinter mir verborgen. Ich brachte mich und mein Gewehr in Position, um die Nexus-Einheit in der Sekunde zu erschießen, in der sie am Felsen vor uns vorbei war.

Sekunden später erschien die Nexus-Einheit wie ein wildes Tier, das seine Beute jagte.

Ich feuerte. Ein direkter Treffer in seinen Bauch.

Nichts. Es bremste den Scheißer nicht einmal.

Er stand vor mir und riss mir das Gewehr aus der Hand, dann brach er es entzwei, als wäre es ein Zweig. „Wo ist meine Frau?" Seine Stimme war tief und mechanisch und in der Frage lag nicht ein Funke von Emotion oder Kampfwut.

Seine Frau?

„Ich weiß nicht, wovon du sprichst." Ich hatte vor, ihn mit meiner Antwort aufzuhalten, während ich Bahrr deutete, er sollte loslaufen. Von hier verschwinden.

Entkommen.

„Meine Gefährtin", fügte er hinzu. „Ihr Name ist Gwendolyn. Sie war hier, auf eurem Schiff. Wo ist sie jetzt?"

Dies waren mehr Worte, als die Nexus-Einheit in Helions Gefangenschaft in all den monatelangen Verhören gesprochen hatte. Ich vermied es, dem blauen Monster direkt in die Augen zu blicken, aber das fiel schwer. Der Drang, es zu tun, war stark. Ich erinnerte mich daran, dass mich diese dunklen, leblosen Augen einsaugen und ertränken würden. Ich hatte das auf die harte Tour gelernt, als ich beim ersten Mal, dass Helion mich zu ihm brachte, unserem Gefangenen in die Augen blickte. Sambor hatte mich gerettet, indem er mich beiseitestieß und so den Bann der Nexus-Einheit über meinen Verstand brach.

Nun war ich umso weiser und starrte diesem hier auf die Brust. Ich wagte nicht, hochzublicken, nicht auch nur einen Augenblick. Sobald er erst die Kontrolle über meinen Verstand hätte, würde ich ihm alles erzählen, was er wissen wollte. Und ich wusste eine Menge.

Ich bekämpfte die Hive schon meine ganze Karriere lang, aber war noch keinem von Angesicht zu Angesicht gegenübergestanden. Hatte noch nie *mit* einem gekämpft. Aus nächster Nähe war dieser hier... blau. Fokussiert. Nicht real. Die Metallintegrationen schimmerten im Sternenlicht und erinnerten mich daran, dass dieses Ding nicht... so war wie wir. Er bewegte sich und sprach und tötete, aber er *lebte* nicht.

Hinter ihm erschienen die beiden

integrierten Atlanen, kletterten unter Einsatz von Händen und Füßen an die Stelle, wo Bahrr und ich noch vor wenigen Sekunden gewesen waren. Bahrr hatte sich nicht vom Fleck gerührt. Verfluchter Kerl.

„Mach dich verdammt noch mal vom Acker, Bahrr. Sam. Nehmt euch ein Schiff und verschwindet." Geheimhaltung war nicht länger wichtig, und einer von uns musste am Leben bleiben. „Geh zurück zu Lucy." Ich griff an meinen Rücken und umfasste den Griff eines Messers, das ich für Notfälle dort bewahrte.

„Wer ist Lucy?", fragte die Nexus-Einheit.

„Das geht dich einen Scheiß an." Ich wollte das Ding anbrüllen, aber ich wusste, dass das zwecklos war.

Aus dem Augenwinkel konnte ich sehen, dass die Nexus-Einheit den Kopf schief legte, als wäre sie neugierig. „Ich verspüre keine Furcht. Gut so. Du wirst nun zu einem von uns werden."

Ich schwang meinen Dolch nach

oben, zielte an eine Stelle, von der ich
hoffte, sie wäre das Herz der Nexus-Einheit. Oder ihr Hauptprozessor. Etwas...
Lebenswichtiges. Die Nexus-Einheit
blickte auf mein Messer hinunter, das
nun in der Brust steckte und zog es
langsam heraus. Das Metall war mit dicker, schwarzer Flüssigkeit überzogen,
die eher wie Teer aussah als wie Blut.
„Du widersetzt dich." Er warf das Messer
beiseite und langte nach mir.

„Nein!", brüllte Bahrr und trat vor. Er
bewege sich schnell, schneller als es ihm
mit seinen Verletzungen möglich sein
sollte. Er war in vollem Bestienmodus,
sein Körper riesengroß, sein Zorn wie
ein Vulkanausbruch. „Nein, Atlan!"

Die Nexus-Einheit blickte geschockt
hoch und ich verstand, dass er so auf
mich fixiert gewesen war, dass er Bahrr
in seinem Versteck hinter mir gar nicht
bemerkt hatte. Ah, der Hive hatte also
doch Emotionen, auf seine eigene Art.
Er hatte nicht miteinberechnet, dass ich
nicht alleine sein könnte.

Bahrr packte den Nexus am Hals, hob ihn in die Luft und... riss ihm den Kopf vom Körper, mit einem ekelhaft schlürfenden Laut. Schwarzes Teer-Blut sprühte aus dem Hals der Kreatur und spritzte auf Bahrrs Rüstung und Helm, überzog seine Schultern und seine Brust.

Hinter dem Nexus fielen die beiden Atlanen zu Boden, als wären sie plötzlich aus einer Trance erwacht. Sie schrien in ihren Helmen und ihre Schmerzen entlockten Bahrrs Biest ein Brüllen zur Antwort. Oder als Herausforderung? Ich verstand nicht, was vor sich ging, doch selbst in meinem Helm ließ mir der Lärm die Ohren wackeln.

„Was zum Henker ist da oben los?" Sambors Stimme war kristallklar und ruhig. Schockierend ruhig.

„Bahrr hat der Nexus-Einheit gerade den Kopf abgerissen. Die beiden integrierten Atlanen, die er bei sich hatte, zeigen eine heftige Reaktion darauf. Sie sind nun von der Hive-Kontrolle befreit."

„Das erklärt einiges." Vars Erleichterung war in seiner Stimme deutlich zu hören. „Ich habe ein Schiff. Drei weitere Späher befanden sich darin. Und die sind soeben tot umgefallen."

„Hier auch", antwortete Sambor. „Ich hätte noch einen Soldaten ausschalten müssen. Einen integrierten Prillonen. Er ging soeben in die Knie. Wenn er überlebt, werden wir ihn mitnehmen müssen."

Ich stand auf und zog die Ionenpistole aus dem Halfter. Das Gewehr war hinüber und dieser kleine Blaster würde die Atlanen, die sich gerade vor Schmerz am Boden krümmten, höchstens ärgern —aber er war alles, was ich hatte. „Die beiden integrierten Atlanen sind hier oben zu Boden gegangen. Sie stellen keine Bedrohung mehr dar."

„Nichts antun." Bahrr war immer noch im Bestienmodus, aber in seinem Helm war so viel Blut, dass ich keine Ahnung hatte, wie er überhaupt noch aufrecht stand, geschweige denn sprechen konnte.

„Ich werde nicht schießen, solange sie nicht versuchen, uns zu töten.“

Das ließ Bahrr schnauben. Er packte den kleinen Ionenblaster aus meiner Hand und warf ihn beiseite, als wäre er ein alter Schuh. „Nicht verletzt. Wütend. Erleichtert.“

„Ja, das habe ich mir schon gedacht.“

Bahrr ging zu den beiden gefallenen integrierten Kampflords hinüber und stieß einen Schlachtruf aus, wie ich noch nie einen gehört hatte.

Über meinen Kopfhörer konnte ich Sambor lachen hören. „Die Götter seien verdammt, das ist Musik in meinen Ohren.“

„Was zum Henker ist das?“

„Der Siegesschrei eines Kampflords. Du solltest ein atlanisches Bataillon hören, nachdem sie ein ganzes Schlachtfeld voller Hive in Stücke gerissen haben.“

Das grelle Licht eines Raumschiffs

machte sich bemerkbar, als es auf der Ebene unter uns landete. Ich sah zu, wie eine Luke aufging und Sambor mit dem verletzten prillonischen Hive-Krieger auf der Schulter an Bord stieg. Augenblicke später schwebte das Schiff über uns, mit gesenkter Laderampe, an deren anderem Ende Sambor mit ausgestreckter Hand stand.

Bahrr reichte erst einen, dann den anderen Atlanen an Sambor weiter, der sie ohne zu fragen entgegennahm und an Bord brachte.

„Bring den Nexus-Kopf mit", sagte Var zu mir. „Helion wird ihn haben wollen."

Es ekelte mich an, aber Var hatte recht, also hob ich den blauen Kopf auf – mitsamt den daran hängenden Tentakeln und technischen Fortsätzen – und warf ihn zu Sambor hoch.

„Vergiss das. Er wird auch den Körper haben wollen."

„Die Götter seien verdammt. Warum tun wir dem Arschloch überhaupt einen

Gefallen?" Ich blickte zurück auf die riesige Leiche, die reglos dalag. Ich wusste, dass uns dies eine Gelegenheit bot, der sich meine Abneigung gegenüber dem Kommandanten nicht in den Weg stellen sollte. „Geh nur, Bahrr." Ich stützte Bahrr mit meiner Schulter, damit er Sambor erreichen konnte. Dann ging ich zurück, um die Leiche zu holen.

Ich musste meine gesamte Kraft einsetzen, um das Ding auch nur ein paar Schritte weit zu schleppen. Bahrr erschien neben mir. „Zur Seite."

Ich blickte schockiert hoch. „Kampflord, du kannst kaum gehen. Ich kümmere mich darum."

Seine Bestie beruhigte sich langsam und Bahrr konnte in ganzen Sätzen sprechen. „Du bist störrisch. Ich weiß nicht, wie es dir gelungen ist, eine Frau zu überzeugen, dich zu akzeptieren." Mit einem Grunzen hob er den toten Nexus auf und lief die Rampe hoch. Sambor klatschte ihm auf den Rücken, woraufhin der verwundete Kampflord die

Leiche mit einem weiteren schmerz-
vollen Grunzen fallenließ.

Über diesen Affront musste ich tatsächlich lachen – ein Laut, von dem ich
mir nicht sicher gewesen war, ob ich ihn
je wieder hören würde. Unser Kampf
war heftig gewesen und hatte nur etwa
fünf bis zehn Minuten gedauert, aber es
war nun klar, dass wir überleben
würden.

Nachdem wir alle vier, die wir den
Absturz überlebt hatten – und ein paar
zusätzliche Passagiere – sicher an Bord
waren, kam Sambor die Rampe herunter
und gemeinsam schafften wir es, die
Leiche auf das gestohlene Hive-Schiff zu
schleppen.

„Der Scheißer ist schwer. Zu schwer.“
Es war, als bestünde die Nexus-Einheit
aus Magneten, die sich buchstäblich an
das Gravitationsfeld unter uns klammer-
ten. Er war viel schwerer, als es seine
Größe vermuten ließe, selbst wenn er
aus purem Stein oder Metall bestanden
hätte.

„Helion kann seinen Spaß damit haben, ihn zu sezieren."

Ich schnaubte zustimmend. Ohne Zweifel lag Sambor hier richtig.

Er streckte mir die Hand entgegen. „Steig ein, Nik. Lucy wird sich Sorgen machen. Gehen wir nach Hause und nehmen wir sie in Besitz."

Nach Hause. Scheiße. Das hörte sich richtig gut an.

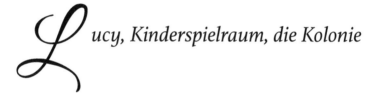

ucy, Kinderspielraum, die Kolonie

ICH SAß in einem der Sitzsäcke und sah den Kindern beim Spielen zu, wobei ich ihr Geschwätz und Gelächter aus meinem Bewusstsein ausblendete. Da die Anzahl der Kinder auf dem Planeten ziemlich rasch anwuchs, war ein Spielbereich eingerichtet worden, wo die Kinder sich austoben konnten. Im Raum gab es Mini-Versionen von Tischen und

Stühlen für Bastelaktivitäten, einen großen Teppich für die Vorlesestunde, eine Leseecke mit Bilder- und Kinderbüchern und Spielgerüste, wie man sie aus Fast-Food-Restaurants kannte. Die Männer hatten die Bilder gesehen, die wir ihnen von diesen Indoor-Spielplätzen auf der Erde gezeigt hatten und sie auf ihren eigenen Planeten angepasst umgesetzt. Rutschen und Röhren, Seile und Leitern, Stangen und Kletterwände. Es war ein wenig verrückt, besonders, da der Großteil der Kinder weniger als zwei Jahre alt war. Aber sie würden schon noch hineinwachsen – und wenn man sich die Größe der kleinen Prillonen und ganz besonders der kleinen Atlanen so ansah, dann auch richtig bald. Ich wünschte, ich wäre ein wenig kleiner, sodass ich mich zu ihnen gesellen – in der Ecke mit dem künstlichen Baum, den man über eine Brücke von einem kleinen Raumschiff aus erreichen konnte.

Emma hatte mich zu dem Sitzsack in

der Leseecke gezerrt und mit einem Finger gedeutet, dass ich mich setzen sollte. Sie passte auf mich auf, damit ich auch ganz sicher dortblieb. Sie war ganz schön gebieterisch und es war niedlich, zuzusehen, wie die Kleine Wulf nachahmte. Olivia zog einen winzigen Stuhl herbei, um sich zu mir zu setzen. Sie und Wulf waren am Vortag von der Erde zurückgekehrt, früher als geplant, nachdem Rachel sie darüber benachrichtigt hatte, was passiert war. Ich hatte das Gefühl, dass sie die Erde nur zu gerne hinter sich gelassen hatten.

Ich hatte keine Ahnung, ob sie ihre PR-Arbeit für die *Bachelor Bestie* beendet hatten und es war mir auch ziemlich egal. Ich hatte gerne an der Show gearbeitet und fand die Idee hinter dem Konzept auch – auf die würdigen Krieger, die Gefährtinnen suchten, aufmerksam zu machen – aber ich vermisste Chet so überhaupt nicht, und auch nicht die kleinlichen Dramen, die Reality-TV mit sich brachte. Hier im Weltraum gab es so etwas nicht. Ich war immer nur hinter den Kulissen gewesen. Was Olivia und Wulf betraf, deren Beziehung bis ins kleinste Detail in alle Welt ausgestrahlt worden war – denen war es wohl auch egal. Sobald eine neue Bachelor Bestie auserwählt worden war, würde das Rampenlicht sich von ihnen weg und auf den neuen Atlanen richten.

Ich hatte an nichts Interesse, fühlte mich taub und eigenartig surreal. Wenn ich nicht den schwarzen Kragen um den Hals tragen würde, dann würde ich meinen Verstand anzweifeln und mich fragen, ob die beiden Tage auf Prillon Prime überhaupt passiert waren.

Ich hatte keine Fotos, keine Selfies oder sonstigen Aufzeichnungen von Nik und Sam. Ich war am Computer gewesen, hatte nach ihnen gesucht und ihre Fotos und Profile gefunden, die bewiesen, dass sie existiert hatten.

Hatten.

Sie waren tot.

Tot.

Ich konnte mich immer noch an ihre Berührungen erinnern. Ihr Gewicht, das mich ins Bett drückte. Ihr Atem. Ihre Stimmen. Die Masse ihrer Schwänze, die mich füllten.

Ein kreischendes Lachen riss mich aus meinen schmutzigen Gedanken. Tanner und Wyatt trugen Koalitionsuniformen in Kindergröße, mit Rüstung und allem Drum und Dran, rannten mit Spielzeug-Ionenpistolen herum und machten Blaster-Geräusche. Sie kämpften gegen imaginäre Hive und gingen hinter der Kinderrutsche in Deckung, streckten die Köpfe hervor und schossen. Emma saß gerade im Bällchenbad und warf die bunten Bälle in die Luft.

Olivia und ich waren die einzigen Erwachsenen im Raum. Ein Blick auf die Uhr an der Wand verriet mir, dass Lindsey in zwanzig Minuten kommen und die Aufsicht über die Kinder übernehmen würde. Wir hatten diese unausgesprochene Abmachung, dass wir im

Schichtbetrieb auf die Kinder aufpassen würden, damit jeder auch ein wenig Abstand bekommen konnte. Auf diese Weise konnten die Kinder weiterspielen und die Eltern sich ausruhen.

„Willst du schon darüber reden?", fragte Olivia.

Ich blickte zu ihr hoch. Selbst auf dem Kinderstuhl war sie größer als ich. Ich seufzte. „Muss ich wohl, immerhin hast du mich aus dem Bett gezwungen."

Nachdem ich mit den anderen zurücktransportiert war, war ich direkt auf mein Quartier gegangen und hatte mich ins Bett gelegt. Und dort war ich geblieben. Mir war Essen gebracht worden, obwohl ich auch eine S-Gen-Maschine hatte, aber ansonsten hatten sie mich in Ruhe gelassen.

Bis Olivia in mein Zimmer gestürmt kam, die Bettdecke vom Bett riss und mich zwang, zu duschen und frische Kleidung anzuziehen.

„Du hast zu riechen begonnen", antwortete sie, aber es lag kein Vorwurf in ihrer Stimme. „Erzähl mir nur von der Party. Ich habe doch alles verpasst."

Jetzt grummelte sie.

„Jessica wollte, dass wir einen Line Dance machten, also hat ein DJ – oder eben ein Typ mit Sound-System, das Lindsey entweder von der Erde importiert oder auf magische Weise aus der S-Gen-Maschine programmiert hatte – " Ich holte Luft. „Sie haben Country-Musik gespielt."

Olivia machte große Augen; dann brach sie in Gelächter aus. „Oh Gott, das kann ich mir nur zu gut vorstellen."

Ich konnte mir ein Lächeln nicht verkneifen. „Diese riesigen, muskelbepackten Aliens, die immer so beherrscht sind?"

Sie hielt sich die Hand vor den Mund, um ihr Grinsen zu verbergen. „Können nicht tanzen?"

Ich schüttelte den Kopf. „Können nicht tanzen. Alle stießen ständig ineinander. Außer diesem einen Prillon-Commander. *Der* konnte sich vielleicht bewegen."

Emma warf einen weichen Ball in die Luft und er prallte von ihrem Kopf ab.

„Wulf wäre mir auf die Füße getreten", sagte Olivia.

„Nik stolperte gegen mich. So sind wir uns begegnet." Es versetzte mir einen sehnsüchtigen Stich, als ich mich an unseren Zusammenstoß erinnerte und wie er mich auffing, damit ich nicht hinfiel. Wie er sich versichert hatte, dass ich nicht verletzt war.

„War er ein heller Prillone oder dunkel? Wie ich höre, haben sie unterschiedliche Karamelltöne."

„Nik war dunkel, Sam hell."

„Ah. Von jeder Sorte einer. Lecker." Ihre Augen wurden groß. „Waren sie gut?", fragte sie mit einem Blick auf die Kinder. „Tanner, pass auf, wenn du so an Emma vorbeiläufst."

Tanner feuerte seine Waffe und ein

Licht an Wyatts Rüstung leuchtete grün auf.

„Ich bin nicht von den Hive!", rief Wyatt wütend darüber, dass er getroffen worden war.

Olivia musste zu den Jungs hinüber und mit ihnen reden und ich nahm mir den Moment, um nachzudenken. Waren Nik und Sam gut gewesen?

So gut. Meine Pussy zuckte. Ich fuhr mir mit den Fingern über den glatten Kragen.

Olivia kam zurück und bemerkte die Geste. Sie ließ sich in den Stuhl fallen und ihre Knie ragten ihr bis an die Schultern.

„Wirst du den abnehmen?"

Ich zuckte mit den Schultern. „Es hätte doch nur ein Abenteuer sein sollen. Ich wollte doch nur flachgelegt werden. Das habe ich sehr deutlich gesagt. Wirklich, wirklich deutlich."

Sie verdrehte die Augen. „Du weißt noch, wie Wulf buchstäblich bei mir eingezogen ist, obwohl ich ihm gesagt hatte, dass wir beide niemals funktionieren würden."

Ich war dabei gewesen, als Wulf bei Olivia zu Hause aufgetaucht war und seinen Anspruch geltend gemacht hatte. Ich hätte wegen seines Verhaltens wissen sollen, wie Nik und Sam sich verhalten würden. Der Unterschied war, dass Wulf Atlane war und zu dem Zeitpunkt im Paarungsfieber gewesen war. Er hatte im Studio der *Bachelor Bestie* nur einen Blick auf Olivia geworfen und es *gewusst*.

„Sie sind nicht auf mich zugekommen. Ich habe ihnen ein unmoralisches Angebot gemacht", erklärte ich.

Olivia grinste. „Gut gemacht, Mädel."

Ich wandte den Blick ab, plötzlich traurig. Oder – noch trauriger.

„Du glaubst also nicht, dass sie dich abgeschleppt hätten, wenn du nicht den ersten Schritt gemacht hättest? Du kennst doch Prillonen. Die sind genauso herrisch wie Atlanen."

Ich spitzte die Lippen. „Das stimmt."

Sie war eine Minute still und winkte Emma zu. „Aber für sie war es mehr als ein Abenteuer. Du trägst einen Kragen."

„Ich weigerte mich, in Besitz genommen zu werden. Ich wollte nicht... ich konnte nicht..."

Sie legte mir eine Hand auf die Schulter, während ich die Tränen runterschluckte, die in meiner Kehle steckten.

„Ich habe ihnen nicht geglaubt", flüsterte ich.

„Kannst du über die Kragen nicht ihre Gefühle lesen?"

Ich nickte.

„Es war ja nicht so, als hätten sie lügen können. Es war nicht wie auf der Erde, wo du nicht weißt, ob ein Kerl dich nur anlügt, damit er Sex bekommt."

Ich setzte mich im Sitzsack um, zog die Knie heran, sodass ich sie ansehen konnte. „Ich wusste es. Ich spürte die Wahrheit. Sie zeigten sie mir. Dann gingen sie zu ihrer Besprechung, und... nun, wir hatten keine Zeit."

Sie drückte meine Schulter. „Und jetzt?"

Ich griff mir wieder an den Kragen.

„Jetzt bin ich alleine hier." Ich seufzte. „Tut mir leid. Ich wollte nicht sagen, dass du und Wulf und die Kinder nicht meine Familie seid. Ich bin nicht *alleine*. Aber... ich weiß jetzt, wie es ist, Gefährten zu haben. Ich hatte beinahe meine eigene Familie und jetzt will ich das auch. Will das, was du und Wulf habt. Was Nik und Sam mir bieten wollten."

Olivia war still und musterte mich. „Ich weiß schon, es ist nicht dasselbe."

„Ich bin hierhergekommen, um bei euch zu sein. Ich bereue es nicht, aber jetzt weiß ich, was mir entgeht. Du hast mit Wulf ein Leben. Ich habe hier nichts. Ich bin nur das fünfte Rad am Wagen."

„Ich weiß, dass es zu früh dafür ist, aber du könntest dir einen anderen Gefährten nehmen."

Ich wollte keinen anderen, aber das konnte ich Olivia nicht sagen. Stattdessen verdrehte ich die Augen und versuchte es mit etwas Leichtherzigem. „Das würde nur funktionieren, wenn Wulf mit seiner Große-Bruder-Masche aufhören könnte."

Als hätte er gespürt, dass wir von ihm sprechen, öffnete sich die Tür zum Spielzimmer und er kam herein. Sein Kopf stieß beinahe an der Decke an. „Wer jagt hier Hive?", dröhnte seine Stimme durch den Raum und Tanner und Wyatt erstarrten, wirbelten herum und hoben die Hände.

Wulf ging zu ihnen und ging auf die Knie, damit er ähnlich groß war wie sie. „Habt ihr schon hinter dem Schiff nachgesehen?"

Sie nickten und ihre Köpfe wippten gleichzeitig auf und ab.

„Wir sollten noch einmal nachsehen, denn die Hive sind bekanntermaßen trickreich und hinterhältig. Klettert hoch, Kämpfer."

Wulf ging auf alle Viere, und Tanner und Wyatt kletterten auf ihn, als wäre er ein Reitpferd. Wulf krabbelte ans andere Ende des Raums. „Waffen bereit!"

„Bruan hat Interesse", sagte Olivia mit einem Lächeln über die Spielerei ihres Gefährten. Er war ein guter Vater, ein gutes Vorbild für die Jungs. Emma jagte ihnen hinterher und zerrte an Wulfs Arm, bis er sie grinsend hoch-hievte, damit sie in seinem Nacken sitzen konnte, wo sie vergnügt quiekte, nach vorne zeigte und „Los!" schrie.

„Wulf hat ihm angedroht, ihn in der Arena blutig zu schlagen, wenn er auch nur in meine Richtung atmet", erinnerte ich sie.

„Er spricht aber trotzdem mit dir... immer, wenn Wulf gerade nicht in der Nähe ist." Sie rieb sich über die Arme, als würde ihr das Gesprächsthema ge-nauso unangenehm sein wie mir. „Er würde dich vergöttern. Das weißt du ganz genau. Ihr seid vielleicht nicht für-einander *geschaffen*, aber ihr könntet glücklich werden."

Ich seufzte. „Bruan ist wirklich nett,

Liv. Das weißt du. Er ist ein lieber Kerl, aber ich bin nicht die Richtige für ihn. Gott, er ist wie ein großer Bruder. Ich weiß das, und ich glaube, er weiß das genauso. Dieser Atlane ist ein Hingucker und ich bin mir sicher, dass er irgendwann mal eine Frau erobern wird – auf die scharfe, gegen-die-Wand Art und Weise. Nur ich werde das nicht sein."

Olivia fächelte sich zu, erinnerte sich wohl gerade an den Moment, als Wulf sie aus dem Studio von *Bachelor Bestie* getragen hatte... live im Fernsehen.

„Ich glaube, Bruan steckt irgendwie fest, genau wie ich", gestand ich.

„Du steckst nicht fest. Du hast große Ziele."

Ich schüttelte den Kopf und blickte in meinen Schoß. „Ich habe für die Party allen die Haare und das Make-Up gemacht. Es hat viel Spaß gemacht. Klar, ich schneide Rachel die Haare, dir und den anderen, aber auf dem Planeten gibt es weniger als zehn Frauen. Ich kann keinen Schönheitstempel für zehn Frauen führen."

Olivia lachte und zupfte an einer meiner Locken. „Ich würde jeden Tag hingehen."

Ich verdrehte die Augen, dachte an Sam und wie er mein Haar... wild genannt hatte. „Ist doch egal. Keine Frauen, kein Schönheitssalon."

Sie verzog das Gesicht, dann lächelte sie, als Emma zu uns gelaufen kam. Sie kletterte Olivia in den Schoß, während die Jungs weiter mit Wulf spielten.

„Denkst du etwa darüber nach, wieder auf die Erde zurückzukehren? Du bist von uns die Einzige, die diese Wahl hat."

Das war eine gute Frage. Wollte ich das? Im Gegensatz zu Olivia konnte ich zurück. Ich könnte einen Salon eröffnen, wie ich es mir wünschte. Ich wusste, wie man an die Sache heranging. Wie man eine Geschäftslizenz bekam, einen Kredit und alles andere. Dort könnte ich das tun. Aber nach einem Leben im

Weltall war ich mir nicht mehr sicher, dass das das Richtige für mich war.

„Ich bin verändert, Liv. Zwei Nächte mit zwei Männern und ich hatte alles. Ich hatte Ja dazu gesagt, in Besitz genommen zu werden. Ich war bereit gewesen, hier wegzugehen, von *dir* weg, für zwei scharfe Hengste."

„Für zwei scharfe Hengste würde ich mich auch verlassen."

Ich seufzte und ihr Witz fiel flach. „Ich meine es ernst. Ich habe Ja zu ihnen gesagt. Und zu allem, was dazugehört."

Olivia machte große Augen über den Nachdruck in meiner Stimme.

„Und jetzt wird das nicht mehr passieren." Ich drückte mich aus dem Sitzsack hoch und blickte auf Olivia hinunter und auf Emma in ihrem Schoß, die am Daumen lutschte. „Ich gehe wieder ins Bett. Es geht mir gut. Ich brauche nur Zeit."

Davon hatte ich anscheinend reichlich. Ich hatte keinen echten Job, keine echten Aussichten. Und Nik und Sam hatte ich auch nicht. Bruan würde ein Problem werden, denn ich hatte den Verdacht, dass sein Paarungsfieber ihn mir entgegentrieb. Ich wollte nur ungern sein Herz brechen, da ich nun genau wusste, wie es sich anfühlte, mit gebrochenem Herzen herumzulaufen.

Leer.

13

S ambor, die Kolonie

Es war mein erster Besuch auf der Kolonie. Niklas hatte gesagt, er wäre schon einmal hier gewesen, aber das war, bevor ich sein Leibwächter wurde. Mein Blick auf die karge Landschaft vor dem Fenster erinnerte ich mich an den Planeten, dem wir gerade entkommen waren. Nur, dass es hier keine Hive gab – hoffte ich zumindest – und wir absichtlich hier gelandet waren. Eine Bruchlandung wollte ich im Leben nur einmal erleben.

Gouverneur Maxim begrüßte uns im Transportraum. Alleine.

Ich spürte Enttäuschung in mir aufwallen, dass Lucy nicht hier war und auf uns wartete. Wir waren mit dem verdammten Hive-Schiff in den Luftraum der Koalition geflogen und hatten alle vier unserer Kommunikatoren aktiviert, um zu signalisieren, dass wir nicht der Feind waren. Das letzte, was wir wollten, war zum zweiten Mal vom Himmel geschossen zu werden. Wir verknüpften die Krankenstation mit Bahrrs Kommunikator, sodass er direkt auf die medizinische Notstation transportiert werden konnte. Zu dem Zeitpunkt hatten wir keine Ahnung über seine Überlebenschancen. Er war vier Tage lang unversorgt geblieben, aber wir hatten in der Zwischenzeit erfahren, dass ein kleiner Aufenthalt in einer ReGen-Kapsel seine Verletzungen heilen hatte können, auch wenn er bleibende Narben davontragen würde.

Was den Rest von uns anging: Wir waren mit dem Hive-Schiff zum Schlachtschiff Karter geflogen, da es das nächstgelegene Schiff im Sektor gewesen war. Das Hive-Schiff hatten sie dort einbehalten, um seine Technologien und Verstärkungen studieren zu können. Helion hatte bei unserer Ankunft dort auf uns gewartet – vom Angriff völlig unversehrt – und die zwei Teile der Nexus-Einheit eingesammelt, den Körper und den abgetrennten Kopf. Ich war so froh gewesen, wieder auf Koalitions-Boden zu sein, dass ich ihm keine Beachtung geschenkt hatte. Wir alle kamen auf die Krankenstation, wurden untersucht und entlassen. Die beiden befreiten atlanischen Kampflords und der prillonische Krieger mussten eine Analyse ihrer Integrationen durchlaufen, würden aber im Endeffekt eine zweite Chance auf ein Leben bekommen, hier auf der Kolonie.

Var wollte ein paar Tage auf der Karter verbringen, um sich zu erholen, bevor er auf seine nächste Mission ging. Was Niklas und mich anging, wir hatten uns gerade genug Zeit genommen, zu essen, zu duschen und frische Kleidung anzuziehen, bevor wir zum Transportraum gingen, um schleunigst auf die Kolonie zu gelangen.

Nein, nicht auf die Kolonie. Zu Lucy. Unserer Gefährtin.

Einen Wimpernschlag später waren wir angekommen und schritten eilig dem Gouverneur entgegen. Er klopfte mir auf die Schulter und schenkte uns beiden ein breites Grinsen. „Es tut gut, euch beide zu sehen."

„Gouverneur", setzte Niklas an, doch ihm wurde das Wort abgeschnitten.

„Keine Sorge, eure Gefährtin ist nahe", versicherte uns Gouverneur Maxim.

Ich war nicht so geübt darin, meine Emotionen zu verbergen, wie Niklas. „Wo ist sie? Warum ist sie nicht hier?"

„Sie weiß noch nichts von eurer Ankunft." Er verzog kurz die Mundwinkel.
„Oder dass ihr am Leben seid."

„Das   ist   grausam", antwortete
Niklas.

„Ich versichere euch, das ist es bei
Weitem nicht. Ich erfuhr davon, dass ihr
und die anderen überlebt habt. Und von
der Bergung einiger Krieger, die auf der
Kolonie ihr neues Zuhause finden werden. Was Lucy betraf: Ich wollte ihr
keine falschen Hoffnungen machen, falls
meine Informationen nicht stimmten
oder, zum Henker, ihr irgendwie unterwegs aus einer Abfall-Luke gefallen
wärt."

Ich starrte den Gouverneur mit
großen Augen an. Abfall-Luke?

Er seufzte. „Es ist nicht wichtig."

Niklas musterte Gouverneur Maxim,
als hätte der seinen Verstand verloren.
„Du hattest Angst, dass wir nicht zu ihr
kommen würden."

Maxim seufzte. „Ich konnte es nicht
riskieren, ihr Herz noch einmal zu bre-

chen. Sie hatte es... schwer... seit sie von der Explosion hörte."

„Ich habe ihr meinen Kragen um den Hals gelegt, Gouverneur. Sie gehört mir. Ich verlange, sie zu sehen. Sofort." Die Vorstellung davon, dass sie litt, verursachte Niklas unsagbare Schmerzen. Meine Reaktion war eher eine zornige – darüber, dass dieser Arsch von Prillone es gewagt hatte, unserer Gefährtin den Trost zu verweigern, den wir ihr bieten konnten. Und auch Abscheu über seinen fehlenden Glauben an Krieger, wie er selbst einer war.

„Lucy gehört uns. Wir werden jeden verdammten integrierten Bastard auf diesem Planeten bekämpfen, wenn ihr versucht, sie uns vorzuenthalten." Ich meinte es todernst. Die kräftige Wirkung von Niklas' Schmerz vermischt mit meinem Zorn und der Abscheu machte uns beide ein wenig... instabil. Wir brauchten unsere Gefährtin.

Scheinbar war *das* die Art von Reaktion, die Gouverneur Maxim Rone verstand und schätzen konnte. Mit einem leisen Lachen hob er die Hände, wie um sich zu ergeben und wandte sich an den Transport-Techniker. „Wo befindet sich Lucy Vandermark?"

Der Techniker ließ seine Finger über seine Konsole wandern und blickte zum Gouverneur. „Im zentralen Speisesaal."

Der Gouverneur raunte seinen Dank. „Folgt mir."

Der Gouverneur führte uns durch ein Labyrinth an Korridoren. Er bewegte sich viel zu langsam für meinen Geschmack, doch auch wenn ich kein Diplomat war, wusste ich es besser, als ihn anzuschreien, er solle sich beeilen. Der Duft von Essen schlug mir entgegen, bevor wir da waren, und ich wusste – hoffte – dass wir am richtigen Ort waren. Dass unsere Gefährtin sich hinter der Tür befand, auf die wir zu marschierten.

Ich blickte zu Niklas. Ich brauchte seine angespannten Schultern nicht erst zu sehen, um zu wissen, dass er genauso besorgt war wie ich. Die Kragen teilten alle seine Sorgen mit mir. Beim letzten Mal, als wir mit Lucy zusammen waren, hatte sie den Kragen um ihren Hals akzeptiert, aber keine Besitznahme. Hatten sich ihre Gefühle verändert? Hatte sie beschlossen, dass sie den Kragen nicht länger wollte? Hatte sie ihn gar abgenommen? Verdammt.

In diesem Moment wurde mir etwas klar, und ich packte Niklas am Arm. Er blickte zu mir. „Ich kann sie nicht spüren."

Seine Augen wurden groß, und er hielt inne. „Du hast recht. Gouverneur, hat Lucy ihren Kragen abgenommen?"

Der Gouverneur rieb sich das Kinn. „Nein. Er ist nach wie vor schwarz und an ihrem Hals. Könnt ihr ihre Emotionen nicht fühlen?"

Wir schüttelten den Kopf.

Er senkte seinen und stellte sich so an die Tür, dass diese ihn erkannte und sich öffnete. „Dann geht und findet heraus, warum."

Ich holte tief Luft und stellte mich

resigniert dem, was kommen mochte. Wir hatten vier Tage lang im feindlichen Revier überlebt. Meine Motivation dafür war es gewesen, zu Lucy zurückzukehren und ihr zu sagen, wie ich für sie empfand, und wie sehr Niklas und ich sie in Besitz nehmen wollten. Wir würden ihr alle Zeit geben, die sie brauchte, aber wir würden sie nicht aufgeben. Wir wussten, wie das Leben ohne sie war und dass es kein Leben war, das wir führen wollten.

———

Lucy

ICH BEMÜHTE MICH, zu essen. Wirklich. Rachel hatte mir sogar meine Lieblingspizza gebracht, frisch aus der S-Gen-Maschine.

Aber alles schmeckte wie Asche in meinem Mund. Ich war wie betäubt. Ich konnte nichts spüren, denn wenn ich etwa spürte, dann war in mir nichts als Schmerz. Also vergrub ich ihn. Zerdrückte ihn unter dem Absatz wie ein Insekt. Tot.

Wenn ich nicht fühlen konnte, was ich gehabt hatte, als Sam und Nik an mich gekuschelt waren, dann wollte ich lieber gar nichts fühlen.

Wir saßen an einem großen, runden Tisch. Rachel und der kleine Max diskutieren gerade darüber, welches Gemüse er essen würde – oder eben *nicht* essen würde. Der kleine Junge war so niedlich. Er aß lieber Möhren von der Erde anstatt einer grellgelben Pflanze von Prillon Prime, aber verweigerte strikt alles, was grün war.

Anscheinend war selbst im Weltraum Gemüse alles andere als beliebt.

Für gewöhnlich hätte mir das zumindest ein Lächeln abgerungen, aber nun fühlte ich gar nichts. Ich stellte mir vor, dass ich ein Android war, ein Computer, jemand wie diese Figur Data aus *Star Trek*. Nur – hatte der nicht *gewollt*, ein

Mensch zu werden? Emotionen spüren zu können?

Ich war in letzter Zeit das Gegenteil davon. Völlig zufrieden damit, nichts zu fühlen.

Der Kampflord Bruan hatte mich mit unverhohlener Sorge in seinen Augen beobachtet. Selbst jetzt saß er neben Caroline und Rezzer am Tisch, auf jedem Knie einen der Zwillinge. Sie himmelten ihn an, so wie alle Kinder das taten und seine Singstimme war engelsgleich.

Ich hatte gar nicht gewusst, dass Atlanen singen konnten, bis er ein paar Tage nach unserer Ankunft eine weinende Emma auf den Arm genommen und in glatten zwei Minuten in den Schlaf gesungen hatte. Jener Tag war für mich eine Erleuchtung gewesen und Olivia hatte Wulf so lange in den Ohren gelegen, bis er nachgab und die beiden Kampflords ein lautes, grölendes Kampflied zum Besten gaben, das mich an den selig betrunkenen Gesang in irischen Bars erinnerte. An jenem Tag waren wir

Freunde geworden. Bruan *war* mir ans Herz gewachsen, aber er war nicht für mich bestimmt. Und seine Bestie hatte noch nicht verlangt, dass er mich nahm.

Keiner von uns wollte sich mit dem nächstbesten zufriedengeben, aber wir hatten mit der Möglichkeit geliebäugelt, bis ich meinen wahren Gefährten begegnet war.

Und sie verlor.

Ein schmerzhafter Stich und ich hielt mir den Bauch. Rachel blickte mich durch die Wimpern hindurch an und legte ihre Hand auf meine, die zur Faust geballt unter dem Tisch verborgen war.

Ich lächelte sie dankbar an, während Bruan weiter dem Geschnatter der Zwillinge zuhörte. Für sie war er ihr *Onkel B.* Er würde einen wunderbaren Gefährten und Vater abgeben.

Nur nicht meinen.

„Hast du gar keinen Hunger?", fragte Rachel. „Ich kann dir etwas anderes holen."

„Es geht mir gut. Danke. Du hast

schon so viel getan. Ehrlich." Ich wollte keine Pizza. Ich wollte gar nichts. Ich wollte einfach nur auf mein Zimmer zurück und an die Decke starren. Schlafen. Wenn ich schlief, träumte ich von Niklas und Sambor. In meinen Träumen waren sie wieder bei mir, gehörten mir.

Bevor sie mir noch etwas anderes anbieten konnte, stand ich auf. Bruan sah mit traurigen Augen zu, aber wir beide kannten die Wahrheit. Jede Chance, die wir gehabt hätten, uns ineinander zu verlieben, war in dem Moment verflogen, als ich meinen wahren Gefährten begegnet war.

„Ich habe keinen großen Hunger. Ich gehe zurück auf mein Zimmer." Ich bemühte mich um mein bestes Lächeln, aber ich wusste, dass die Bemühung schwach und armselig war. „Ich sehe euch alle dann morgen."

„In Ordnung. Schlaf gut. Ruf mich an, wenn du etwas brauchst." Rachel war viel zu lieb zu mir. Sie war eine gute Freundin. Ich wusste, dass Ryston heute

Nacht auf Patrouille war, aber wo war der Gouverneur? Er verpasste kaum eine Gelegenheit, Zeit mit seiner Gefährtin und seinen Söhnen zu verbringen.

Ich drehte mich herum, als ich seine Stimme im Korridor hörte, kurz bevor die Tür zum Saal sich öffnete.

Und ich sah Gespenster.

Jeder Funke von rohem, brutalem Schmerz, den ich in den letzten Tagen hinuntergewürgt hatte, explodierte in mir wie eine Bombe und meine Knie gaben nach.

Noch bevor ich auf den Boden aufschlug, war Nik da und hielt mich fest. Sam kam neben ihn und ich schluchzte, berührte sie, befühlte ihre Gesichter, ihre Schultern, ihr Haar. „Seid ihr echt?"

„Ja, Gefährtin. Wir sind echt."

Die Schleusen öffneten sich, und ihre Emotionen fluteten durch meinen Kragen herein. Schmerz. Erleichterung. Angst um mich. Verlangen. Hingabe. Liebe. Gott, das Durcheinander drehte mein Hirn durch den Fleischwolf, bis ich nichts weiter tun konnte als zu weinen und mich an sie zu klammern.

Gouverneur Maxim räusperte sich. „An alle Anwesenden, vielleicht können wir den Saal räumen und diesen Dreien ein wenig Ruhe gönnen?"

Füße schlurften. Ich hörte einen der Zwillinge fragen: „Wer sind die?"

Bruan antwortete. „Diese beiden Prillonen-Krieger sind die Gefährten deiner Tante Wucy."

„Tante Wucy hat Gefährten?"

Ich kicherte unter Tränen über die Verwirrung der kleinen CJ. Ich war selber ganz verwirrt.

„Ja, das hat sie." Bruan klang düster, aber resigniert und ich hoffte, dass er die wunderbarste Frau in der Geschichte des Universums finden würde, um ihm Liebe zu schenken. Er hatte es verdient.

Ich hob den Kopf und sah zu, wie die letzten Bewohner durch die Türen verschwanden. Ich sah, wie Gouverneur Maxim Bruan auf den Rücken klopfte.

„Keine Sorge, Kampflord. Ich habe große Pläne für dich."

Bruan drehte den Kopf herum. „Was für Pläne?"

Der Gouverneur lächelte. „Du wirst der nächste Repräsentant der Kolonie im Fernsehprogramm *Bachelor Bestie* auf der Erde werden."

Rachel quiekte und klatschte in die Hände, während die Tür sich hinter ihnen schloss und mich mit meinen Gefährten alleine ließ.

„Lucy?" Niks Stimme war kräftig, aber die Furcht, die über seinen Kragen hereinkam, würde mich bald noch weiter in die Knie zwingen.

Ich richtete mich auf den Knien auf, legte einen Arm um jeden meiner Gefährten und zwang sie zu Boden. „Ich liebe euch. Ich liebe euch beide so sehr."

Ich gab den Versuch auf, meine Emotionen zu unterdrücken und ließ zu, dass sie mich überfluteten – und sie ebenso. Liebe. Erleichterung. Dankbarkeit darüber, dass sie am Leben waren.

Sehnsucht. Begehren. Schmerz. Ich gab ihnen alles. *Alles.*

„Lucy." Sam umarmte mich von hinten, fuhr mit seinen Fingern durch mein Haar, streichelte meine Hüfte, küsste jeden Körperteil von mir, den er erreichen konnte. „Gefährtin, ich liebe dich. Ich brauche dich. Den Göttern sei Dank."

Nik *klammerte.* Es gab kein anders Wort für die Heftigkeit seiner Umarmung, oder den stahlharten Grip seiner Hände. Er regte sich nicht, sprach nicht, hielt mich einfach nur, als würde er mich niemals wieder loslassen. Und Liebe? Guter Gott. Seine absolute Anbetung floss durch die Kragen herein wie pures Feuer, pures Verlangen.

„Du gehörst mir, Gefährtin. Du bist mein Herz und meine Seele und mein Leben. Verstehst du das?"

„Ja." Ich hielt sie beide fest und weinte, bis ich keine Tränen mehr in mir hatte. Dann fluchte ich. „Ihr lasst mich heulen, aber erzählt mir nicht, was mit euch passiert ist!"

Sie blickten mich mit zusammengebissenen Zähnen an. „Es hat keinen Belang. Wir sind hier, und wir werden dich nicht mehr verlassen. Eines Tages werden wir mit dir teilen, was vorgefallen ist. Aber nicht jetzt."

Was immer sie auch durchgemacht hatten, muss furchtbar gewesen sein. Sie hatten recht, und ich konnte ihr Bedürfnis spüren, es nicht noch einmal durchleben zu müssen, indem sie es mir erzählten, sondern es hinter sich zu lassen. Sie waren hier. Ich gehörte ihnen. „Dieser verdammte Kragen muss blau werden, nicht schwarz. Blau. Ihr beiden gehört mir, verstanden? Mir. Und ich will, dass ihr beide das auch wisst."

Sie widersprachen nicht. Nik erhob sich als erstes. Sam folgte und sie hoben mich hoch, damit ich zwischen ihnen laufen konnte.

„Wieder einmal, Gefährtin, bittest du uns, dich auf dein Privatquartier zu be-

gleiten und uns um deine Lust zu kümmern?", fragte Nik.

Ich lachte aus purer Freude. „Ja.
Genau darum bitte ich euch."

„Ich habe kein Problem damit, dir
Lust zu bereiten", sagte Nik. „Du vielleicht, Sambor?"

„Nicht im Geringsten."

Ich erkannte, dass sie exakt die gleichen Worte wiederholten, die sie im Palast zu mir gesprochen hatten und mein
Herz schmolz dahin. Diese beiden gehörten mir und es war an der Zeit, das
permanent zu machen.

 *iklas*

„DU MACHST UNS STOLZ, GEFÄHRTIN", sagte ich, während ich mit Lucy an der Hand und Sambor einen Schritt hinter uns, durch die Korridore lief. Sie konnte unsere Zufriedenheit mit ihr durch die Kragen spüren.

Dem Tod so knapp zu entkommen, das filterte unwichtige Dinge raus und machte jene wertvoller, die wichtig waren. Wie etwa Lucy. Sie war die bedeutendste Sache im Universum.

Wir hatten eine zweite Chance bekommen. Unsere Gefühle und wie tief sie gingen, konnten nicht verborgen werden. Nicht mehr. Nicht jetzt, wo wir alle bereit waren, uns auf das zu konzentrieren, was wirklich relevant war.

Während der ganzen Zeit, die wir auf dem Asteroiden feststeckten, fragte ich mich, was wohl Lucys wahre Gefühle waren. Sie hatte deutlich gemacht, dass wir nur ein Abenteuer waren, wie die Menschen das nannten. Wir waren entbehrlich.

Damit war jetzt Schluss. Wir brauchten die Kragen nicht mehr, um zu wissen, was in ihrem Herzen steckte. Der Blick auf ihrem Gesicht, als sie uns im Speisesaal erblickte, verriet uns alles, was wir wissen mussten.

Ich sah ihre Liebe, spürte sie über den Kragen, doch die wahre Tiefe ihres Begehrens zu hören, als sie die Worte laut aussprach – das erfüllte mein Herz bis an den Rand. Ich dachte, es wäre schon davor voll gewesen, aber es hatte etwas gefehlt.

Das tat es nun nicht mehr.

Vielleicht hatte unsere Zeit der Trennung ihre Absichten gefestigt und diese so laut und auf so intensive, nachdrückliche Weise zum Ausdruck zu bringen, ließ es nicht mehr zu, dass ihr Kopf oder irgendwelche Erden-Ideale im Weg standen.

Sie gehörte nun uns. Sie wusste es.

Wir wussten es.

Wir hatten es ihr die ganze Zeit über gezeigt. Selbst während der Trennung waren wir immer noch vereint geblieben.

Nun würden wir sie in Besitz nehmen. Es offiziell machen.

Sie führte uns zu ihrem Quartier, einer kleinen Ansammlung von Zimmern, die keinerlei Persönlichkeit hatten. Die Räume waren schlicht und nackt. Ich dachte an meine Residenz auf Prillon Prime. Sie sah ganz genauso aus.

Ein Ort, an dem ich mich zwischen Missionen aufhielt. Zum Schlafen. Essen. Es war kein Zuhause.

„Wir werden ein größeres Quartier brauchen", sagte ich, als ich das Bett im Nebenzimmer sah. Es war klein, nicht gebaut für eine Frau und ihre beiden Prillon-Gefährten.

Sie warf einen Blick auf das Bett, dann auf mich. Dann Sambor.

„Ihr wollt hier auf der Kolonie leben?", fragte sie mit leiser Stimme. Die Tränen waren fort, aber ihre Augen waren vom Weinen noch rot umrandet.

Sambor trat vor, nahm ihre Hand und hob sie hoch, um mit seinen Lippen über ihre Knöchel zu streichen. „Wir werden dort leben, wo du bist. Es hat keinen Belang."

Ihre rosigen Lippen öffneten sich, und sie starrte zu ihm hoch. „Eure Arbeit."

Ich machte eine scharfe Geste mit der Hand. „Meine Arbeit ist nicht so wichtig wie du. Eine Gefährtin kommt zuerst. Jeder weiß das..."

„Jeder außer Helion", sprach Sambor zu Ende.

„Wenn du hier deinen Wohnort haben möchtest, dann ist es uns eine Freude, die Kolonie zu unserem Zuhause zu machen."

Ihr Haar fiel wild über ihren Rücken, weit entfernt von den gestylten Frisuren, die wir auf Prillon Prime an ihr gesehen hatten. Ich mochte diesen... natürlichen Look an ihr. Die Sommersprossen, die Locken. Die echte Lucy.

„Ich bin nur wegen Olivia hier. Und nicht, weil ich dazu bestimmt bin, hier zu sein. Ich wusste bis jetzt nicht, wo das sein sollte. Ich... ich will auf Prillon Prime leben. In den Tagen, in denen ich dachte... als ihr weg wart" – sie schluckte schwer –"da wurde mir klar, dass ich hier nichts habe."

„Olivia und Wulf. Die Kinder", schlug Sambor vor.

„Das ist nicht das Gleiche, wie mit

euch zusammen zu sein. Ihr beide gehört auf Prillon Prime. Wo ich auch gerne wäre. Es... passt zu mir."

„Mein Zuhause ist kein Palast", teilte ich ihr mit. Ich hatte meine Mittel und konnte mühelos für Lucy sorgen, und zwar auf eine Weise, die ihrer würdig war. Aber ich war nicht königlich.

„Ich will dich. Euch *beide*. Mein Leben ist kein Disneyfilm. Ich will kein strahlendes Schloss."

„Jeder braucht etwas, für das er Leidenschaft verspürt. Irgendeine Art Arbeit. Du erwähntest deinen Wunsch nach einem Frauen... wie war das Wort?", fragte ich.

„Schönheitssalon."

Ich nickte. „Richtig. Wenn das dein Traum ist, so muss er dir erfüllt werden."

Ein Lächeln erstrahlte auf ihrem Gesicht und Sambor seufzte. Ich spürte seine Zufriedenheit durch den Kragen. Ich hatte sie glücklich gestimmt. Den Göttern sei Dank.

„Das hätte ich wirklich gerne, aber

im Ernst – im Moment möchte ich nichts anderes, als mit euch zusammen zu sein. Euch beiden."

Sie trat Sambor entgegen und legte ihm eine Hand auf die Brust. Ich trat an sie heran und nahm ihre andere Hand.

„Mir ist nichts anderes wichtig, als meinen Kragen blau zu färben. Ich... ich halte es nicht länger aus, dass er schwarz ist. Ich glaubte schon, er würde ewig so bleiben."

Ich schüttelte den Kopf. „Nein, Gefährtin. Wir werden nicht länger warten. Es ist mein größtes Begehren..."

„Und meines", unterbrach Sambor.

„...dich zu unserem Eigentum zu machen."

———

Sambor

JEDE CHANCE auf eine traditionelle prillonische Besitznahme war in dem Moment verflogen, als wir auf dem Asteroiden bruchlandeten. Ja, eine öffentliche Besitznahme war ein Brauch, der sich schon hunderte, wenn nicht tausende Jahre gehalten hatte. Förmlichkeiten zählten aber nicht, wenn es um Lucy ging. Sie waren nicht wichtig.

Das einzig Wichtige war, dass wir zusammen waren. Als sich die Tür zu Lucys Quartier hinter uns schloss, blieb der Rest des Universums außen vor. Die Hive, mein Job und Niklas' Arbeit waren vergessen. Das alles würde morgen immer noch da sein. Und auf uns warten.

Heute Nacht würden wir Lucy zu unserem Eigentum machen, sie in Besitz nehmen, die Kragen mit dem Blau von Lorvar färben. Es war das Einzige, woran ich noch denken konnte. Lucy war das Einzige, was ich noch sehen konnte. Die Kragen sorgten dafür, dass sie und Niklas das Einzige waren, das ich fühlen konnte.

„Du verstehst, was eine prillonische

Besitznahme umfasst?", fragte ich, löste den Riemen von meinem Schenkelhalfter, legte ihn mitsamt der Ionenpistole auf den Tisch neben mir und nahm die ganze Zeit über meine Augen nicht von Lucy.

Ihre Zunge schoss heraus und leckte über ihre Lippen. Ich spürte ihren Hunger, ihre Erregung.

„Du hast mir ein wenig davon erzählt, als wir im Palast waren."

Ja, und ich hatte meinen Daumen in ihren engen Hintern eingearbeitet, damit sie erfahren konnte, wie es sein würde.

„Wir werden dich beide nehmen", sagte Niklas, fasste nach dem Saum von Lucys Hemd und schob es hoch. Sie hob die Arme, um ihm zu helfen. Nachdem er es zu Boden fallen gelassen hatte, war sie von der Hüfte aufwärts nackt, und ihre von Sommersprossen übersäte, blasse Haut erinnerte mich an die Sterne in der Galaxis. „Ich werde in deiner Pussy sein."

„Und ich in deinem Hintern. Ich kann es gar nicht erwarten." Sie würde so eng sein. *Scheiße.*

„Jessicas Besitznahme wurde auf dem gesamten Planeten live übertragen", sagte sie.

Ich ließ einen Finger über ihre Schulter gleiten, ihren Arm hinunter bis zu ihrem Ellbogen, und sah zu, wie ihr die Gänsehaut aufstieg. „Auf ganz Prillon Prime und darüber hinaus. In die meisten Ecken des Universums, damit alle Prillonen, die in der Ferne für uns kämpfen, sehen konnten, dass unser Prime die perfekte Gefährtin gefunden hatte."

„Unsere Besitznahme wird mit niemandem geteilt werden", sagte Niklas. „Ich will nicht warten."

Wir hatten es nicht besprochen, aber ich wusste, dass wir Lucy mit niemandem teilen wollten. Der Anblick ihrer nackten Haut, die Art, wie sie auf uns reagierte, wie sie schrie, sich hingab, war für uns alleine bestimmt. Da unsere erste gemeinsame Nacht auf ihren Wunsch hin stattgefunden hatte, hatten wir das Protokoll für Gefährten nicht befolgt. Ich war zwar als Zweiter an die Reihe gekommen, aber ich hatte ihre Pussy gefickt, was in traditionellen Prillon-Paarungen nicht erlaubt war, bis die Frau vom Samen ihres primären Gefährten schwanger war. Ich sprach zu Niklas, damit er wusste, was ich mir diesbezüglich wünschte – nun, da Lucy wahrlich uns gehören würde. „Jetzt, wo wir unsere Gefährtin offiziell in Besitz nehmen, bestehe ich darauf, dass du dir das Recht des primären Gefährten nimmst."

Niklas' Blick hob sich überrascht zu meinem, doch ich kannte ihn besser, seit wir die Kragen umgelegt hatten. Niklas tat zwar gerne so, als wäre ihm alles egal, aber er wollte Lucy. Wünschte sich ein Kind mit einer Sehnsucht, die mich beinahe in die Knie zwang. Ich konnte warten, hatte gewartet. Die Ehre, der Vater des erstgeborenen Kindes zu werden, würde Niklas zuteil werden, sobald unsere Gefährtin dazu bereit war. Und so sollte es auch sein.

„Was bedeutet das?", fragte Lucy.

Niklas war nicht in der Lage, zu sprechen, denn seine Emotionen hatten sein ansonsten so eloquentes Händchen für Sprache überwältigt.

„Es bedeutet, Liebste, dass – wenn du bereit bist, Mutter zu werden – Niklas derjenige sein wird, der das Kind zeugt. Bis dahin werde ich mich damit begnügen, dich in den Mund und deinen wunderschönen, perfekten Hintern zu ficken."

„Ist das eine Regel oder so etwas?", fragte Lucy.

„Eine Tradition", antwortete Niklas schließlich. Er blickte zu mir. „Ich danke dir, Sambor. Es ist mir eine Ehre."

Ich nickte und freute mich darüber, dass Lucys Reaktion auf den Gedanken, Mutter zu werden, eine von Freude und Aufregung gewesen war. Die Götter seien verdammt, aber diese Kragen würden ganz schön praktisch sein und uns zwei ahnungslosen Kriegern dabei helfen, genau zu wissen, was sie brauchte.

„Ist die öffentliche Besitznahme nicht auch eine Tradition? Du bist Botschafter. Du repräsentierst Prillon Prime", sagte sie mit Blick auf Niklas. „Du... du möchtest das nicht?"

Ihre nackten Brüste lenkten ab. Ich spürte Niklas' Verlangen nach unserer Gefährtin und auch wenn diese Unterhaltung wichtig war, wünschte ich, er hätte ihr das Hemd angelassen.

Niklas umfasste sanft eine ihrer Brüste. Ich sah zu, wie die rosige Spitze hart wurde, während sein Daumen darüber hin und her strich. „Du möchtest nicht öffentlich in Besitz genommen werden", sagte er.

Er brauchte nicht zu fragen, denn wir beide konnten ihr Bangen vor dieser Möglichkeit spüren.

Lucys Augen fielen zu, sie legte den Kopf nach hinten, wodurch ihre Brüste nach vorne gestreckt wurden. Zwei Gefährten, zwei Brüste. Ich umfasste die andere.

„Ich repräsentiere Prillon Prime, das stimmt. Aber was ich mit meinem Schwanz anstelle, hat damit nichts zu tun. Wenn ich wünsche, meine Gefährtin privat in Besitz zu nehmen, dann wird das Universum sich damit abfinden müssen."

Ihre Augen öffneten sich, aber sie waren ein wenig verschwommen vor Lust. „Aber du bist für Prillon Prime wichtig. Ich möchte nicht, dass du Schwierigkeiten bekommst. Du... du könntest deinen Job verlieren!" Es fiel ihr schwer, zu sprechen, während wir mit ihr spielten. Verdammt, sie war so weich.

„Ich erörtere mit Prime Nial nicht, was ich mit meinem Schwanz anstelle."

Ich musste lachen bei der Vorstellung einer solchen Unterhaltung.

„Verpflichtet bin ich nur dir", fuhr er fort. „Sambor, als mein Sekundär, hat dieselbe Verantwortung. Dich zu befriedigen und zu beschützen. Nichts weiter."

„Ihr würdet eure Jobs für mich aufgeben?" Tränen stiegen ihr in die Augen.

„Wir geben nichts auf. Wir fügen unserem Leben etwas hinzu. Füllen es. Bereichern es", erklärte ich. „Und das, ohne diese wunderschönen Brüste mit irgendjemandem zu teilen. Oder sonst einen rosigen Teil deines Körpers."

Ein Lächeln breitete sich langsam über ihr Gesicht aus; dann blickte sie mich an. „Doktor Surnen und sein Sekundär haben ihre Gefährtin auch nicht öffentlich in Besitz genommen."

Da die erwähnten Personen auf der Kolonie lebten, konnte ich sicher sein, dass sie deren Geschichte aus erster Hand kannte.

„Siehst du? Es ist ein Brauch, Lucy, keine Pflicht." Niklas ging vor ihr auf die Knie, sodass seine Augen auf Höhe ihrer Brüste waren. Er beugte sich vor, setzte seinen Mund an eine Spitze und saugte.

Sie stöhnte und steckte ihre Finger in sein Haar.

Als er sich zurückzog, blickte er zu ihr hoch und ihr Nippel war nass und glänzte. „Du gehörst mir. Und ich werde dich nur mit Sambor teilen und ihm alleine."

„Gott sei Dank." Sie nickte. „Ich werde euch... oder eure Schwänze auch mit niemandem teilen. Wenn ich einen Livestream-Porno drehen wollte, hätte ich das auf der Erde getan."

Ich wusste nicht, was ein Porno war, aber ich konnte es aus dem Kontext er-ahnen. Ich kniff die Augen zusammen und blickte zu Niklas. Sein Kiefer war angespannt.

„Alles, was du tust, wirst du mit uns tun. Und zwar ganz privat", sagte Niklas. „Dieser Porno, den du da möchtest, der wird nur von uns gemacht und gesehen werden."

Ihre Augen wurden groß und sie hielt eine Hand hoch, aber ich fühlte... einen Rausch. „Moment mal. Du willst es aufzeichnen? Es speichern und... wie, später wieder ansehen?"

Ich ließ meinen Blick über jeden Zentimeter ihrer Nacktheit wandern und stellte mir vor, sich ein Video von uns anzusehen, wie wir sie liebten, sie gemeinsam in Besitz nahmen; sich – so oft wir wollten – den genauen Moment anzusehen, in dem unsere Kragen die Farbe wechselten... „Scheiße, ja", knurrte ich und riss mir das Hemd vom Körper. Mein Schwanz war begierig darauf, aus der Uniformhose befreit zu werden.

„Jetzt?", fragte sie, obwohl sie die Antwort bereits kannte.

Ich konnte Niklas' Ärger über die Vorstellung spüren, dass sie von einem anderen Mann berührt, gesehen oder befriedigt werden könnte, aber ihr Lächeln und das verspielte Gefühl, das Lucy ausstrahlte, ließ mich den Kopf schieflegen.

„Jetzt. Wir werden unsere Besitznahme aufzeichnen und nur für uns aufbewahren", sagte Niklas in seiner tiefen

Diplomatenstimme. Er stand auf und hob Lucy auf die Arme, trug sie zum Bett und legte sie darauf ab. Er zog ihr Schuhe und Socken aus und streifte ihre schwarze Hose ab, sodass sie nackt war.

Niklas knurrte und gestikulierte mit der Hand über ihrem Körper. „Das hier wird nicht geteilt werden."

Ich stand mit vor der Brust verschränkten Händen neben ihm. Ich brauchte meine Gefühle zu dem Thema nicht laut auszusprechen. Sie konnte spüren, wie besitzergreifend ich war.

Sie schüttelte vehement den Kopf und ihre roten Locken wischten dabei über das Bett. „Nicht teilen. Es ist nur..." Sie blickte mich an und biss sich auf die Lippe. „Ich weiß, wie das hier ablaufen wird. Ich werde Sam hinter mir nicht sehen können."

„Du wirst mich spüren", versprach ich ihr. Ich würde tief in ihrem Hintern vergraben sein.

Sie prustete erheitert und richtete sich auf die Knie auf. „Da bin ich mir sicher. Aber ich werde dein Gesicht nicht sehen können. Du wirst meines nicht gut sehen können. Ich will, also, ich will nichts davon verpassen. Jetzt. Bitte."

Niklas war genauso gerührt wie ich. Als primärer Gefährte lag die Entscheidung bei ihm, aber er konnte spüren, so wie auch ich, dass dies etwas war, das Lucy Freude bereiten würde. Sie war davon erregt; von dem Wissen, dass sich jeder von uns zu jeder Zeit ansehen können würde, wie sie in Besitz genommen und gefickt wurde... und zwar gründlich.

Es war verdammt scharf. Etwas, das ich mir nie überlegt oder vorgestellt hatte.

Niklas ging zum Videoschirm an der Wand, aber ich achtete nicht länger darauf, was er tat, sondern richtete meinen Blick alleine auf unsere Gefährtin, während ich mich weiter auszog.

Lucy leckte sich über die Lippen, als ich nackt vor ihr stand, meinen Schwanz packte und über ihn strich, um das Verlangen zu lindern.

„Deine Haut ist wie Karamell-Bonbons", sagte sie und ergötzte sich an mir.

Niklas kam vom Videoschirm zurück und zog sich den Rest seiner Kleidung aus. „Und ich?"

„Geschmolzene Schokolade."

„Ich weiß nicht, was diese beiden Dinge sind", sagte ich.

„Sie sind Dinge, die süß sind und die ich mir gerne in den Mund stecke", entgegnete sie, und ein Lusttropfen trat mir aus der Schwanzspitze hervor.

Ich blickte zu Niklas, der nickte.

Ich ging auf die Knie, packte Lucy an den Knöcheln, zog sie an mich heran und legte ihre Beine über meine Schultern. Vor mir lag ihre nasse, hungrige Pussy. „Ich habe hier auch etwas Süßes, das ich mir in den Mund stecken möchte."

Ich sagte nichts weiter, sondern leckte von unten nach oben über ihre Pussy. Sie keuchte auf, und ich packte ihre Oberschenkel, um sie ruhig zu halten.

Niklas setzte sich ans Kopfende des Bettes, umfasste ihre Brüste und spielte damit. „Das hier wird alles aufgezeichnet, Lucy. Gefällt es dir, dass wir uns später ansehen können, wie Sambor dich mit dem Mund beglückt?"

Sie stöhnte und ich spürte über den Kragen ihr Verlangen, kommen zu können. Dazu würde ich sie schon noch bringen. Es war meine neueste Mission und ich würde nicht versagen.

Lucy

OH. Mein. Gott.

Ich hatte gedacht, dass die beiden Nächte, die wir bereits miteinander verbracht hatten, heiß gewesen wären. Aber das hier? Sie waren hier. Bei mir. Berührten mich. *Leckten* mich.

Sie waren nicht tot. Weit davon entfernt. Ich konnte ihre Berührung spüren, aber ich spürte auch sie selbst. Die Kragen versicherten mir, dass sie nahe waren, gleich hier bei mir. Körperlich und geistig.

Ich hatte noch nie daran gedacht, Sex aufzuzeichnen. Bei Nik und Sam war das anders. Es gab hier keine Spielchen. Das hier war echt. Jede Sekunde davon. Sie hatten ernst gemeint, was sie an dem Tag gesagt hatten, als Nik die Kragen brachte. Jedes Wort, jede Tat war echt gewesen.

Sie begehrten mich.

Ich begehrte sie. Ich wollte es für die Ewigkeit aufzeichnen und aufbewahren. Ich würde es nicht gerade meinen Enkeln zeigen, aber ich hatte das Gefühl, dass es uns noch viele Jahre lang einheizen würde.

Ich drückte meine Knie gegen Sams Kopf. Er war so gut mit seinem Mund. Mein Kitzler wurde von seiner Zunge mit einer solchen Präzision bearbeitet, dass ich jetzt schon kurz vorm Kommen war. Ihr Begehren verstärkte meines und als er einen Finger in mich schob und ihn krümmte, bäumte ich mich auf und kam.

Heftig. Ich verlor mich darin und als ich endlich wieder zu Atem kam, war ich mir nicht sicher, ob ich Sam mit meiner Pussy erstickt hatte.

Mit sanften Händen hob er meine Beine von seinen Schultern und küsste meinen Knöchel. Seine Lippen und sein Kinn waren ganz nass von meiner Erregung. Nik zog mich in seinen Schoß hoch.

Küsste mich, seine Zunge fand meine. Ich war gesättigt und doch begehrte ich weiter. Ich spürte ihre Not und wusste, dass wir noch lange nicht fertig waren. Er hob seinen Kopf nicht, sondern rückte sich nur so zurecht, dass ich auf seiner Taille hockte.

„Bitte", flüsterte ich und blickte in seine dunklen Augen. „Ich spürte dein Verlangen. Ich will es lindern."

„Die einzige Art, das zu tun, ist, indem ich mich in dir versenke", sagte er mit tiefer und vor Verlangen rauer Stimme.

Ich nickte und er wischte mein Haar beiseite. Ich rückte die Hüften über seinem harten Schwanz zurecht und arbeitete mich langsam an ihm hinunter. Er war groß. So groß, dass es ein wenig dauerte, bis er ganz in mir war. Als ich schließlich wieder ganz auf seinen Schenkeln saß, seufzte ich.

„Ja", hauchte ich. Ich wollte gefüllt werden. Ihn in mir spüren. Ich war ohne ihn verloren. Aber nun würde ich ihn, *sie beide,* für immer haben.

Ich warf einen Blick über meine Schulter zu Sam. „Also, Sam. Ich will dich auch."

Er brauchte kein weiteres Drängen. Nur seine Geduld hatte ihn noch zurückgehalten, er hatte zugesehen und gewartet. Nik war in mir, doch auch wenn er riesig war, war es nicht genug. Ich wollte auch Sam.

Ich hatte keine Ahnung, woher er ihn hatte, aber er hielt einen kleinen Behälter hoch.

„Das hier wird sicherstellen, dass du bereit bist."

„Was ist das?", fragte ich zwar, aber ich hörte der Antwort nicht wirklich zu. Ich war viel zu sehr damit beschäftigt, meine Hüften zu bewegen und mich an Nik zu reiben. Und ich musste spüren, dass er am Leben war, in Sicherheit, und meins.

„Gleitgel." Sams Antwort drang kaum zu mir durch und mir wurde klar, wie sehr ich diesen beiden vertraute. Meinen Kriegern. Meinen Gefährten.

Ich konzentrierte mich auf dieses Gefühl – wie sehr ich es liebte, bei ihnen zu sein, wie sicher ich mich fühlte. Wie wunderschön und perfekt und begehrt.

Sam ächzte, als er sich über mich beugte und meinen Mund eroberte. „Ich kann spüren, wie du mich liebst, Gefährtin."

Ich lächelte ihn an, dann wandte ich

mich an Nik. „Ich liebe auch dich, musst du wissen."

„Bei den Göttern, ja." Niks Hand legte sich an meine Hüfte und lenkte mich ab, während unsere Emotionen außer Kontrolle wirbelten. Er hob und senkte mich und sein Schwanz weckte allerlei besondere Stellen in mir. Ich keuchte auf, als etwas Hartes gegen meinen Hintereingang stupste, und ich spürte, wie das Gel mich füllte. Direkt danach legte Sams Hand sich auf mein Hinterteil, und sein Daumen drückte gegen meinen Eingang.

Ich fand Niks Augen. Sah ihn an, während Sam langsam das Gleitgel in mich einarbeitete, sich die Zeit nahm, mich vorzubereiten und ein wenig zu dehnen. Ich wusste, dass er dicker sein würde als sein Daumen und ich war froh über seine Bemühungen.

Es fühlte sich auch so gut an.

Nik stand der Schweiß auf der dunklen Stirn und seine Finger gruben sich in meine Hüften. Ich wusste, dass er sich zurückhielt. Mich stillhielt, während er weiter so tief in mir steckte.

„Sie ist bereit", sagte Sam und sein Daumen glitt aus mir heraus.

Ich konnte nicht länger stillhalten und ritt Nik, bearbeitete mich selbst an ihm. „Nik!", schrie ich, wieder nahe an einem Orgasmus. Er hob seine Hüften, um mich so voll wie möglich zu füllen.

Sams Hand legte sich auf meine Schulter und ich wurde langsamer, bis ich mich gar nicht mehr bewegte.

„Der Zeitpunkt ist gekommen, dich zu unserem Eigentum zu machen", sagte Sam.

Nik blickte über meine Schulter hinweg zu Sam und nickte.

Nik hob seine Hand und nahm mich am Kinn. „Nimmst du meine Besitznahme an, Gefährtin? Gibst du dich mir und meinem Sekundär frei hin, oder wünscht du, einen anderen primären Gefährten zu wählen?"

Die Intensität des Augenblicks, ihr gespanntes Warten auf meine Antwort, brachte mich fast zum Kommen. „Was soll ich sagen?"

„Scheiße. Sag einfach ja." Sams Lippen zeichneten meine Wirbelsäule nach und seine Küsse wanderten meinen Rücken rauf und runter.

„Ja. Verdammt, ja."

Ich war schockiert über die Erleichterung, die ich von Nik spürte und umfasste sein Gesicht.

„Ohne Zweifel oder Rückbehalte, ich will euch beide. Hört ihr?"

Er nickte und ich küsste ihn, wischte eine verdächtige Träne aus seinem Augenwinkel. Küsste ihn noch einmal.

Ich spürte Sams wachsendes Verlangen, sich uns anzuschließen, mit uns Eins zu werden. „Scheiße, Niklas. Sie hat Ja gesagt."

Nik lachte leise und küsste mich kräftig. „Dann nehmen wir dich in Besitz, durch das Ritual der Benennung. Du gehörst mir und ich werde jeden anderen Krieger töten, der es wagt, dich anzurühren."

Sam beugte sich hinter mir herab, und seine Lippen strichen über mein Ohr. „Und mir gehörst du ebenso. Ich darf dich lieben. Dir Lust bereiten. Dich ficken. Dich beschützen. Dich anbeten und berühren und brauchen.“

Ihre Worte ließen mein Herz höherschlagen, mit ihrem feierlichen Ton und ihren Emotionen dahinter. Das hier war mehr als eine Hochzeit. Das hier war für die Ewigkeit, eine physische und psychische Verbindung mit den beiden wunderbarsten Kriegern, die ich kannte.

Nik legte seine Hände auf meine Hüften und zog mich ein Stück nach vorne, spreizte meine Arschbacken gerade so weit, dass ich aufkeuchen musste. „Fick sie, Sambor. Mach sie zu unserem Eigentum.“

Ich stellte mir vor, was als nächstes kommen würde – wie heiß es werden würde, so umringt zu sein, bis zum Platzen gefüllt; zu kommen, während ich ihre beiden Schwänze ritt.

Meine Pussy zuckte. Ich warf den

Kopf in den Nacken und die Laute, die meiner Kehle entkamen, hatte ich nie zuvor gehört.

„Scheiße, sie wird alleine von unseren Worten schon kommen", sagte Sam, ging hinter mir in Position und legte eine Hand auf meine Hüfte.

„Ja, nehmt mich in Besitz", hauchte ich. „Tut es. Gott, tut es jetzt."

Nik packte mich am Nacken und zog mich zu einem Kuss heran, was meinen Rücken durchdrückte und meinen Hintern Sam entgegenreckte.

Nik küsste mich weiter, während Sam sich an mich drückte, mir über den Rücken streichelte und, auch wenn er sich Zeit ließ, doch beständig in mich vordrang. Mein Körper hatte einem hungrigen Mann nichts entgegenzusetzen und er stieß mit einem leisen Ploppen in meinen jungfräulichen Hintern vor.

Ich keuchte an Niks Mund. Er beobachtete mein Gesicht, als Sam sich

langsam und vorsichtig in mich vorar-
beitete.

„Scheiße, sie ist so eng. Perfekt", sagte Sam und seine Stimme war bei-
nahe ein Fauchen. Mit diesen Worten versetzte er mir einen Klaps. Seine Hand klatschte auf meinen hochgestreckten Hintern. Nicht kräftig, aber es brannte ein wenig. Es entflammte mich, machte mich feucht. Brachte mich zum Stöhnen.

„Atme, Gefährtin. Gut so. Wir werden dich gemeinsam ficken. Du wirst kommen. Ich kann es über die Kragen spüren. Ich werde nicht lange durchhalten, du bist so verdammt perfekt. Wir werden dich mit unserem Samen füllen und dann werden die Kragen ihre Farbe zu Blau wechseln. Du wirst uns gehören."

„Ja", flüsterte ich.

Nik stieß in mich hoch. Sam zog sich zurück.

„Oh!", schrie ich aus. Meine Augen fielen zu und ich schwelgte in den Empfindungen. Biss mir beim fremden

Brennen in die Lippe. Die Intensität
wurde mir zu viel. Es war nicht schmerz-
haft, aber unangenehm. Und doch fühlte
es sich so gut an. Ich wusste, dass meine
beiden Jungs in mir steckten. Ich ver-
band uns, vereinte uns. Ihre Not, ihr Verlangen, wie gut sie sich fühlten, das kam
durch die Kragen herein und ich hielt
nicht länger durch. Das wollte ich auch
gar nicht. Es war wie eine Lawine von
Gefühlen, baute sich auf, rutschte ab
und überwältigte mich.

Ich schrie meine Erlösung hinaus,
molk ihre beiden Schwänze. Meine
Nägel vergruben sich in Niks Schulter,
verankerten mich, als würde ich sonst
davonfliegen.

Was unmöglich war, so wie die
beiden mich festhielten.

Nik ächzte und stieß nach oben. Er
kam und heiße Spritzer seines Samens
füllten meine Pussy. Sam hielt keine
zwei Sekunden länger durch, denn unsere Orgasmen brachten seinen herbei.

Ich blinzelte und öffnete die Augen,

sah Nik an. Er lächelte und ich konnte nicht anders, als ihm ebenfalls ein schwaches Lächeln zu schenken.

Mein Blick fiel auf den Kragen um seinen Hals und ich bewunderte das leuchtende, tiefe Blau. Ich fasste an meinen, aber konnte ihn nicht sehen. „Hat es funktioniert? Ist er blau?" Ich musste es wissen. Ich wollte nicht, dass das verdammte Ding noch eine Sekunde länger schwarz blieb.

„Meins", sagte Nik.

Sam war immer noch tief in mir und er küsste meinen nackten Rücken. Er wischte mir das Haar über eine Schulter nach vorne und strich mir über die Rückseite meines Kragens.

„Meins", wiederholte er.

Ich gehörte ihnen. Das wusste ich. Spürte es. Nichts konnte das nun mehr ändern. Wir hatten bewiesen, dass unsere Liebe den schlimmsten Alptraum überstehen konnte. Wir hatten überlebt.

Wir würden glücklich bis ans Ende

unserer Tage leben. Vielleicht hatte ich ja doch ein Leben wie im Märchen.

Ich rieb lächelnd über den Kragen um meinen Hals und sprach ein Wort, das die absolute Wahrheit war, über sie beide. Für immer.

„Meins."

MEHR WOLLEN?

Weißt du was? Ich habe eine kleine Bonus Geschichte für dich. Also melde dich für meinen deutschsprachigen Newsletter an. Durch das Eintragen in die Liste wirst du auch über meine neuesten Veröffentlichungen informiert werden, sobald sie erscheinen (und du erhältst ein kostenloses Buch...wow!)

Wie immer...vielen Dank, dass du meine Bücher liest!

http://kostenlosescifiromantik.com

WILLKOMMENSGESCHENK!

TRAGE DICH FÜR MEINEN NEWSLETTER EIN, UM LESEPROBEN, VORSCHAUEN UND EIN WILLKOMMENSGESCHENK ZU ERHALTEN!

http://kostenlosescifiromantik.com

INTERSTELLARE BRÄUTE® PROGRAMM

DEIN Partner ist irgendwo da draußen. Mach noch heute den Test und finde deinen perfekten Partner. Bist du bereit für einen sexy Alienpartner (oder zwei)?

Melde dich jetzt freiwillig!
interstellarebraut.com

BÜCHER VON GRACE GOODWIN

Ihr perfektes Match

Die Gejagte

Tumult auf Viken

Die Rebellin und ihr Held

Rebellischer Gefährte

Interstellare Bräute Programm Sammelband
- Bücher 1-4

Interstellare Bräute Programm Sammelband
- Bücher 5-8

Interstellare Bräute Programm Sammelband
- Bücher 9-12

Interstellare Bräute Programm Sammelband
- Bücher 13-16

Interstellare Bräute Programm Sammelband
- Bücher 17-20

Interstellare Bräute® Programm: Die Kolonie

Den Cyborgs ausgeliefert

Gespielin der Cyborgs

Verführung der Cyborgs

Ihr Cyborg-Biest

Cyborg-Fieber

Mein Cyborg, der Rebell

Cyborg-Daddy wider Wissen

Die Kolonie Sammelband 1

Die Kolonie Sammelband 2

Die Cyborg-Krieger ihres Herzens

Interstellare Bräute® Programm: Die Jungfrauen

Mit einem Alien verpartnert

Die Eroberung seiner Jungfrau

Seine unschuldige Partnerin

Seine unschuldige Braut

Seine unschuldige Prinzessin

Die Jungfrauen Sammelband - Bücher 1 - 5

Zusätzliche Bücher

Die eroberte Braut (Bridgewater Ménage)

Erobert vom Wilden Wolf

Ascension-Saga: 1

Ascension-Saga: 2

Ascension-Saga: 3

ALSO BY GRACE GOODWIN

Starfighter Training Academy

The First Starfighter

Starfighter Command

Elite Starfighter

Interstellar Brides® Program: The Beasts

Bachelor Beast

Maid for the Beast

Beauty and the Beast

The Beasts Boxed Set

Interstellar Brides® Program

Assigned a Mate

Mated to the Warriors

Claimed by Her Mates

Taken by Her Mates

Mated to the Beast

Mastered by Her Mates

Tamed by the Beast

Mated to the Vikens

Her Mate's Secret Baby

Mating Fever

Her Viken Mates

Fighting For Their Mate

Her Rogue Mates

Claimed By The Vikens

The Commanders' Mate

Matched and Mated

Hunted

Viken Command

The Rebel and the Rogue

Rebel Mate

Surprise Mates

Interstellar Brides® Program Boxed Set - Books 6-8

Interstellar Brides® Program: The Colony

Surrender to the Cyborgs

Mated to the Cyborgs

Cyborg Seduction

Her Cyborg Beast

Cyborg Fever

Rogue Cyborg

Cyborg's Secret Baby

Her Cyborg Warriors

The Colony Boxed Set 1

The Colony Boxed Set 2

Interstellar Brides® Program: The Virgins

The Alien's Mate

His Virgin Mate

Claiming His Virgin

His Virgin Bride

His Virgin Princess

The Virgins - Complete Boxed Set

Interstellar Brides® Program: Ascension Saga

Ascension Saga, book 1

Ascension Saga, book 2

Ascension Saga, book 3

Trinity: Ascension Saga - Volume 1

Ascension Saga, book 4

Ascension Saga, book 5

Ascension Saga, book 6

Faith: Ascension Saga - Volume 2

Ascension Saga, book 7

Ascension Saga, book 8

Ascension Saga, book 9

Destiny: Ascension Saga - Volume 3

Other Books

Their Conquered Bride

Wild Wolf Claiming: A Howl's Romance

HOLE DIR JETZT DEUTSCHE BÜCHER VON GRACE GOODWIN!

Du kannst sie bei folgenden Händlern kaufen:

Amazon.de
iBooks
Weltbild.de
Thalia.de
Bücher.de
eBook.de
Hugendubel.de
Mayersche.de
Buch.de
Bol.de

Osiander.de
Kobo
Google
Barnes & Noble

GRACE GOODWIN LINKS

Du kannst mit Grace Goodwin über ihre Website, ihrer Facebook-Seite, ihren Twitter-Account und ihr Goodreads-Profil mit den folgenden Links in Kontakt bleiben:

Web:
https://gracegoodwin.com

Facebook:
https://www.facebook.com/profile.php?
id=100011365683986

Twitter:

https://twitter.com/luvgracegoodwin

ÜBER DIE AUTORIN

Grace Goodwin ist eine USA Today und internationale Bestsellerautorin romantischer Fantasy und Science-Fiction Romane. Graces Werke sind weltweit in mehreren Sprachen im eBook-, Print- und Audioformat erhältlich. Zwei beste Freundinnen, eine kopflastig, die andere herzlastig, bilden das preisgekrönte Autorenduo, das sich hinter dem Pseudonym Grace Goodwin verbirgt. Beide sind Mütter, Escape Room Enthusiasten, Leseratten und unerschütterliche Verteidiger ihres Lieblingsgetränks (Eventuell gibt es während ihrer täglichen Gespräche hitzige Debatten über Tee vs. Kaffee). Grace hört immer gerne von ihren Lesern.

Ingram Content Group UK Ltd.
Milton Keynes UK
UKHW020016020523
421049UK00016B/961